「愛され脳」になれる魔法のレッスン

黒川伊保子

講談社+α文庫

プロローグ——恐怖の「美人の法則」

男と女は、脳の構造がちがう。ものの見方も感じ方もちがう。

このため、女の考える美人（あるいは、いい女）と、男が感じる美人（いい女）は、驚くほどちがう。

したがって、女ががんばって「自分で考える美人（いい女）」になっても、男を感動させられるとは限らないのである。


しかも、男が女にどきっとしたり、ほろりとしたりするのは、彼らの潜在意識（脳の感じる領域）のできごとだ。

ここは、脳の「考えて、答えを出す」領域とは、まったくちがう場所なので、男たちに「女は、どうしたらいいわけ？」と聞いても埒《らち》が明かない。考えて答えてくれたところで、正解とは限らないのである。

先日、若い男性向けの雑誌が取材にやってきた。「ボクたちの〝萌え〜〟ポイント」という特集だという。私への取材の前に、すでに大々的なアンケートが行われていて、「女性に〝萌え〜〟を感じた瞬間」が何百と上がっていた。

もちろん、その中には、「アイメイクをばっちりと決めた、きらきら瞳」なんて項目はなく、「会議であくびをかみ殺し、目じりに涙をためた瞬間」だの「歯に青のりをつけたまま微笑んだ瞬間」だの、女の私には想像を絶する〝萌え〜〟ポイントが並んでいる。

普通、紙上の回答では、こんな本音（潜在意識のできごと）を引き出せない。よく、こんな回答を得られましたね、と記者に感想を述べたら、ていねいに聴き取り調査をしたのだという。

「会議であくびをかみ殺し、目じりに涙をためた瞬間」「歯に青のりをつけたまま微笑んだ瞬間」という二例だけでも、もうわかるでしょう？

男たちは、女の隙《すき》にどきりとして、情があふれるのである。

　これは、彼ら男性脳に性衝動を引き起こす、テストステロンという男性ホルモンのせい。テストステロンには、脳が不安（ゆらぎ）を感じると分泌《ぶんぴつ》されるという特性がある。

　いつも完璧なキャリア・ウーマンがあくびをかみ殺して目じりに涙をためた、いつもキレイにしている彼女が青のりを歯につけて微笑んだ、いつも優しい彼女が激怒した、いつも強気な女が弱音を吐いた……こういう女の隙は、男性脳に不安のほころびを作り、テストステロンを分泌させる。

　テストステロンは、男性脳に性衝動を引き起こす脳内物質で、独占欲にかられ、分別をなくし、競争心・闘争心をかきたてる。つまり、目の前の事象に何かのほころびを感じてどきっとすると、その瞬間、彼らは性衝動を感じ、独占欲にかられて分別を失いかけるのである。

　したがって、女の隙は、よく効く惚れ薬のようなもの。女たちの美人の秘訣《ひけつ》は、いかに完璧にするかではなく、いかに隙を見せるかにあるのである。

　隙を作るための完璧はありうる。だが、完璧のための完璧はありえない。

男女同権になって、いくら女たちがかっこよくなっても、「男性脳に恋心を引き起こすのがテストステロンである」という生理的な事実がある以上、「女が弱みを見せたとき、男が惚れる」という法則は変わらないのである。

昔から、遊郭《ゆうかく》では、遊女たちは不幸な身の上話を聞かせて、男たちの情を誘ってきた。二十一世紀になったからといって、「完璧な私が、当然モテるべき」と仁王立ちしたって、男たちは惚れてはくれないのである。

情にほだされる、その瞬間だけを論じたって、「女の脳が考える」のと「男の脳が感じる」ことは、かくもちがう。他にも、女の勘ちがいは山ほどあるのだ。

だからね、本当のところ、女たちがカワイイ、キレイ、ステキと賞賛する女は、男関係では、たいしていい思いをしていない。ちやほやされても、深いところで大切にしてもらえないジレンマを抱えていたりする。

なのに、多くの女たちはまず、自分（女）が考えるステキを追求しようと試みる。本当の目的からは、どんどん遠ざかってしまうのに。

美人になる、本当の目的。

それは、男たちの脳裏に、「美しく、いい女。それでいて、カワイイひと」としてのあなたを作り上げることのはずである。

もちろん、「いい女な自分が好き」という自己充足感や、女友達の間でちやほやされることの快感も捨てきれないとは思うよ。

でもね、男たちの脳裏にあなたを美人に映す、ということと、女たちの脳裏に美人に映ることは、まったくの別物である。これを混同すると失敗する。

ちなみに、女友達の中ではさほど目立たず、男たちに深いところで大切にされている女たちは、それをけっしてひけらかさないし、その秘訣を語ってもくれない。

なんと、天然で「男たちの脳裏に美しく映る方法」を知っている女たちは、すべての女たちが、そんな扱いを受けていると思っているのだ。だから、さして話題にもしないのである。

かくして、努力すればするほどジリ貧になっていく女がいて、一方で、自然に幸せを手にしていく女がいる。情報があふれる二十一世紀に、女の二極化は進むばかりである。

その昔、私もけっこう努力家の女だったのだが、脳科学を研究していて、ある日、「男の脳に、美女として映ること」の本質を知ってしまった。それは、女たちが想像するものとは、明らかにちがっていた。

努力するほど、美人から遠ざかる。
努力するほど、幸せから遠ざかる。

私は、恐ろしい法則を見つけてしまったのである。向上心のある女にとっては、これ、あまりにも恐怖の恋愛法則ではないだろうか。

私は驚いて、マスカラもアイラインも目尻のつけまつげも、「遠目に自分を見せるとき」以外はやめてしまった。これ見よがしにセクシー&グラマラスな、ひらひらの薄物も着ない。しなだれない、甘えない、思わせぶりな口も利《き》かない。クールなつっぱりもやめた。ものわかりのいいオトナのふりも、やめた。

大好きなひとの前で、この変身をするのは、けっこう勇気がいるものである。けど、彼が私から意識をそらさなくなったのは、この変身を果たしてからだった。

さて。

私の大切な読者のあなたは、どうなのかしら？

向上心のあまり、空回りしていない？

セクシー&グラマラスは目指さない。クール・ビューティーも、オトナの女も目指さない……さっき私が書いたこの告白に、「じゃあ、何をしたらいいの？」と突っ込みたくなったあなたは、少し危ないかもしれない。

「じゃあ、何をすればいいの？」

この本は、その質問にお答えする一冊である。

女の努力の、本当のポイントを、お話しするね。

ただし、その努力の前に、確認しておいてほしいことがある。

美人には、最低限の必要条件があるのだ。

それは、二十〜三十代の女性なら、排卵がきちんとあること。生理が安定していて、出血の変化にめりはりがあり、痛みもそこそこなのが理想である。ストレスの少ない女性なら、おりものや腹腔《ふっこう》の違和感など体調の変化で排卵したのがわかったりするよね。そういう女性たちは、最低条件はクリア。

生理周期が安定していない、出血の日数や量などにばらつきがある、日数が異常に長い、痛みが異常に強いなどの症状があれば、一度基礎体温表をつけてみて。生理期間にまったく不快感がなく、かつ量も期間も極端に少ない場合は、無排卵の可能性もある。この場合も、基礎体温表をつけてみることをおすすめする。そして、高温期と低温期がきれいに分かれないのなら、ぜひレディスクリニックに行ってほしい。

女性ホルモンの正常な分泌は、美人の最低条件なのだ。女性ホルモンのバランスが悪いと、女としての輝きにどうしても欠けてしまう。「どう振る舞うか」以前の問題である。また、早いうちからの分泌異常を放っておくと、四十代にがくんと老《ふ》ける。異常を感じたときは、どうか、さぼらないで。

ちなみに、四十代半ば以降の更年期に排卵の機能を失っていくのは、自然の摂理。身体も準備しているから、あまり外観を損なわずにゆっくりと坂を下るので、心配しないで。

更年期以降の女性の場合は、美人の最低条件は、生活管理にある。早寝・早起き・添加物の少ない食事を心がけて、不眠症や更年期障害を招かないこと。ま、この年齢層で、この本を読んでくださっている方は、きっと、そういうトラブルとは無縁だと思うので、最低条件はフリーパスです。

十代の女の子の場合は、まだまだホルモンバランスは不安定なもの。ゆっくりオトナになっていけばいいので、やっぱりフリーパス。気にせず、この本を読み進めてください。

「愛され脳」になれる魔法のレッスン✦目次

3 デキる女✦合理化の魔法

8 最後の女 ✦ 官能の魔法

「愛され脳」になれる魔法のレッスン

魔法の前に——ヴィーナスの鏡

ギリシア神話の中に、ピュグマリオン伝説、というのがある。

ピュグマリオンという若き彫刻家に、愛と美の女神アフロディーテが、自分の像を刻むようにと、告げるのだ。

ピュグマリオンは、アフロディーテの究極美を像に写しとろうと、いのちがけで石を削る。ところが、やがて形をあらわにしてきた女の姿は、ピュグマリオン自身の理想の女性像だったのだ。

ピュグマリオンは、その石像に激しく恋をした。アフロディーテは、その石像にいのちを吹き込み、ガラティアという名を与える。ピュグマリオンとガラティアは、末永くむつまじく暮らした。

そういう伝説である。

アフロディーテは、ご存じのとおり、ヴィーナスという名で世界中で親しまれている女神である。この伝説を最初に読んだとき、美神ヴィーナスの伝説なのに、ずいぶん間抜けな話じゃないか、と、私は思った。

すべての男の理想像であるはずのヴィーナスは、人間の若者の造形物に負けたのだ。だとすると、ガラティアは、ヴィーナスより美しくすばらしい女、ということになる。愛と美の女神が、人間の女に負けてよいわけ？

そのうえ、私が読んだ本では、ヴィーナスは、別に怒りの雷を落としたりはしなかった。あらそう、ってな感じで、石像にいのちを吹き込んでいるのだ。ピュグマリオンは、神を冒瀆《ぼうとく》したことになっているわけでもないのである。

私は、この伝説の意図するところが、まったくわからなかった。

脳の中の「彼」

さて、私は、脳の認識の仕組みを探る研究者である。

ヒトの脳が、どうやってモノを認識し、感じているのかを研究していくうちに、わかったことがある。

美は、普遍・絶対の存在として、そこにあるのではない。ヒトが美に触れたとき、その脳の中に、「美」が像を結ぶ。その脳内の「美」こそが、脳の持ち主にとってのほんとうの現実、すなわち真実の美なのである。

たとえば、私の愛しいひとは、万人にとって愛しい存在としてそこに存在しているのではない。私が、現実の彼の何かに深く感応したとき、脳の中に「愛しさのオーラをまとった理想の男」として像を結ぶのである。

目の前にいる中年のクール・ガイ。私は、右目と左目で彼を見る。右目で見たものは左脳の裏に、左目で見たものは右脳の裏に、それぞれさかさまの像を結んでいる。これを視覚統合野《しかくとうごうや》というところで合成して、私は、長年寄り添っている中年男を「見ている」のである。

この段階では、私は、たぶん彼を愛しいとは思っていない。彼のビジュアルがお気に入りってわけじゃないのだ。彼には、申し訳ないけれど。

私は、目で彼を認識すると同時に、鼻の奥では彼の日なたの灌木《かんぼく》のような微《かす》かな匂いを感じとり、耳では彼の甘い声を聴く。先の視覚情報とこれらの情報は、脳の高次統合野《こうじとうごうや》というところで合成されて、その結果、「私の大好きなひと」が、脳の中に忽然《こつぜん》と像を結ぶのである。

実は私、彼の声が、好きで好きでたまらないのだ。低い声が鼻にこもって、甘くやわらかく響くのである。彼は、鼻が少し悪いのだと思う。たぶん、左右の鼻のどちらかが、よく通りにくくなってしまうはずだ。扁桃腺《へんとうせん》も肥大気味じゃないかしら。けれど、その彼の弱点が、私の脳に奇跡を起こす。

彼の音声情報が高次統合野に届いたとたん、私の脳は痺《しび》れてしまう。その瞬間、私の脳内の「彼」は甘いハンサム・マスクに変わり、なんとも愛しい存在になる。それに、この声の話す内容ときたら、エスプリに満ちているのだ。平たく言えば、意地悪で、ひとを喰っているのである。

けど、そのミスマッチな感じがたまらなくて、私は「私の大好きなひと」に、ますます惚れてしまうわけである。悔しいけど。

それぞれのガラティア

さて、この、いたずら好きの中年男。私には「甘い声の、ひとを喰ったヤツ」にしか見えないのに、他のひとの評価はまったくちがうのだ。

普通は、「彼は、甘いマスクがポイント」という女性のほうが多いみたい。彼は、ほんの少し、左目と右目がちがうところを見ているように見えるひとなのである。さらに、焦点を合わせたように見える場所と、実際に焦点が合っている場所が微かにずれているのだ（こうやって並べてみると、鼻といい目といい、ほころびだらけの男なのね）。

このほころびに魅せられて、彼の茫洋《ぼうよう》とした顔を「甘いマスク」と呼ぶ女性たちは、なぜか必ず、彼のリーダーシップというか優等生ぶりを指摘するのである。「あのマスクなので、つい甘えてしまいたくなるのだけれど、ひたすら正論を貫く、理論派のリーダーなので隙《すき》がない。なにか感傷的なことを言ったら、バカにされそう」と、彼の周囲の女性の何人かが、そうおっしゃるのである。

え〜っ。心の中で、私はおおいに驚く。そんなこと、私は一度も感じたことがなかった。彼は、日常会話に技術系の専門用語を使う癖があるけど、それは、一般用語でどう表現したらいいかわからないから。理論派じゃなくて、単に会話能力が低いだけだ。私は技術系のエンジニアだったから、残念ながらお見通しである。

私が、彼の「入り口」でまったくひるまなかったことを、彼は今でも話題にする。普通の女なら遠慮して引き返す結界《けっかい》を、なにもないかのように乗り越えてきて、他人の聖域でゆっくりとくつろいでいるのだそうだ（隣の家の留守に上がりこむ田舎のおばちゃんか、私は）。

「あなたのような失礼なひとは、初めてだよ。たぶん、人生でたったひとりだろうな」

そんな結界、見えなかったもん。私に惚れて、張りそこねたんじゃないの？と、指摘してあげたら、「その逆だね。気にも留めなかったから、張りそこねたのだろう」だそうだ。おバカさん、それが惚れたって、ことなのよ。

それにしても、ひとりの男の魅力が、こうもちがっているのかと驚く。甘いマスクの隙のないビジネスマンと、顔はいまいち茫洋としているし、発言も無神経だけど、声が甘いから許してあげてもいい中年男。

たぶん、彼周辺のキャリア・ウーマンは、ハンサムで頭のいい男が理想なのだろう。だから、目の焦点が合わない顔を「甘いマスク」と勝手に見立て、彼の無頓着《むとんちゃく》な発言に知的な意図を読み取り、「隙がないまでに頭がいい」とまで思い込む。彼がそうさせたというより、彼女たちの脳が、そう思い込みたいのである。

そもそも彼女たちの脳の中には、先に理想像があって、彼の持っている要素のうちの何かが、その理想像のポイントを刺激したとき、さっと脳に理想像を結んだのだ。

私から見たら、彼女たちの評する彼は、彼女たちの勝手な理想像、ガラティアにすぎない。

もちろん、私の評価だって、思い込みにすぎないのである。私の脳の中の「私の大好きなひと」も、ガラティアの一体でしかない。私の脳だけ特別ってことはないからね。

こう書くと、なんだかモテる男のようだが、そんなことはぜんぜんない。私の大好きなひとを、大好きじゃないひともたくさんいる。理想どころか、むかつく、っていう意見も聞くよ。数は、むしろこっちのほうが多い。

男の実体は、一つの身体と心である。けれど、十人の女が彼を眺めれば、十人の「彼」が、それぞれの女の脳裏に浮かび上がる。彼女たちは、勝手に、見たいように見る。その脳で行われている情報処理を考えれば、実体からもらう情報はごく一部。ある意味、実体おかまいなしなのである。

そのときの、想像力が解き放たれるきっかけになるのが、どうも、「ほころび」のようである。私の大好きなひとには、鼻が悪くて声がこもるのと、目が悪くて焦点がずれるのとの二つの明確なほころびがあって、このどちらに触発されるかによって、まったく見え方がちがうようだ。

彼にももちろん、正当な美しい点はあるのだけれど、誰もそこに触発されないっていうのが、なんとも皮肉で面白い。

彼自身もそれを知っていて、声で口説《くど》く相手と、目で説得する相手に使いわけているような気もするのだが、男性脳が、そこまで緻密《ちみつ》だとは思えない、気のせいかな。

ほころびの魅力

同じことが、女の実体に対する、男の脳でも起こる。

ただし、男の脳の場合、女ほど「実体おかまいなし」ということはない。ちゃんと観察している。ちゃんと観察しているのだが、女が思っている場所とは、ちょっとちがうところを見ているのである。

もしも、あなたが、完璧なかたちの唇と丸い鼻をもっていたら、男たちは、その鼻に触発されるのだ。少し離れた目、少し厚い唇、白いうなじに惜しくも一点のほくろ。女たちが嫌う、そんなほころびが、男たちの妄想の扉を開く。化粧で隠したり、ましてや整形しちゃうのはもったいないのである。

そうして開いた男たちの妄想力を、「理想像」へと導くツボ。

そのツボを知っていて、彼らの想像力を最大限に触発し、彼らの脳の中にそれぞれの「究極の理想像」を映し出し、それこそ実体だと思わせる女がいたら、それこそ、万人の理想の美女である。……そう。ヴィーナス、ですよね？ヴィーナスの姿は、ピュグマリオンの脳を触発して、その脳裏に彼の理想の女性を描かせた。

別名を与えられたくらいなのだから、ピュグマリオンの創ったヴィーナス像は、おそらく実体のヴィーナスとはまったくちがっていたのだろう。しかし、そのガラティア像は、ピュグマリオンを魅了して放さない。神の怒りに触れて殺されてもいいくらいに分別を失わせた理想像だった。

ここにおいて、ヴィーナスの客観的な実体がどうなのかは問題ではない。ピュグマリオンの脳に刺激を与え、あふれるほどのテストステロンを分泌《ぶんぴつ》させ、発情させ、分別を失わせ、いのちがけの独占欲をかき立てた。その実力にこそ、ヴィーナスの存在価値がある。

このように、ヴィーナスが、男たちの脳に起こす奇跡は究極。彼女は、想像力をかき立てる女神、ということになる。

つまり、ピュグマリオン伝説は、ヴィーナスの本質、すなわち愛と美の本質を語る秀逸な話だったのだ。

ピュグマリオンが彼自身の理想像を創ってしまったことは、ヴィーナスの真実の力の証明だ。想像力をかき立てる力、愛と美を生み出す魔法である。

ヴィーナスは、「機嫌よく」この像にいのちを与えたことだろう。ピュグマリオン伝説は、ちっとも間抜けな話じゃなかった。

芸術家の想像力

それじゃ、万人の想像力をかき立てる、ヴィーナスの顔って、どんな顔？

神の姿は、想像を超える。私は、頬杖《ほおづえ》をついて、ふうっと溜《た》め息をついた。その途端に、二十五年も前の、あることばを思い出した。

ある日本画家が、私に言ったことばである。

「あなたは、絵のモデルにぴったりの女性だ」

二十歳の頃だった。

「絵のモデルは、誰もが美人と呼ぶ、わかりやすい美人はダメなのだ。画家の想像力をかき立てる、おっとりしていながら、存在感のある顔。なかなか、ないのだよ」

あら、美人じゃないってことなのね、と、思っただけだった。返事もしなかった。

私は、美しいと誉《ほ》められたことのない娘だったし、いつもぼんやりしている、骨太の、野暮な学生だったのだもの。

その頃の私には、容姿もそうだけれど、精神的にも、そこかしこにほころびがあったような気がする。そもそも、なんというか、人格のひもを結びきれていないところがあったのである。

なにせ、小学校のときには、学校が終わったことも気づかないので、クラスメートがランドセルに教科書を詰めて、「学校が終わったよ」と背負わせてくれたという、いわくつきのぼんやりさんなのだ。

はっきり言って、しっかりした記憶は、中学生くらいからしかない。そこからまだ数年しか経っていない、ほころびだらけの女の子（女の子の態《てい》さえなしていなかったような気がする）。

この画家は、そんなほころびを、芸術家としての懐《ふところ》の深さで肯定してくださった。そこから、どう人格を結んでいくのか、人間としての温かい目でも、見つめてくださったのにちがいない。

今なら、その重さがわかる。連絡の手立てもわからないあの方に、このことを伝えられたらいいのに、と微かな悲しみで胸がちくりとした。

あの方は、今の私くらいの年齢だった。二十歳そこそこの娘が、四十代半ばの知性をいただく。それは、四十代半ばにならなければわからない恩義なのだ。

きっとこれからも、五十にならなければわからない恩義、六十にならなければわからない恩義……たくさんの「恐縮」を、拾って生きていくのだろう。若かった私は、ひとりで大人になったようなつもりでいたのにね。

なので、私自身は、若い人たちに、その場で気持ちが通じなくても、あんまり気にしないことにしている。私の気持ちを誠実に伝えたら、それでいい。二十年、三十年後の彼らが、私と同い年になって「拾って」くれるだろう。人生は、年長者から年少者への、時空を超えたメッセージで折り重なっている。

さてさて、話題は、ヴィーナスの顔である。

私の大好きなひとのように、二大ほころびがある男でも、たいした数の異性はさばけないのである。二十歳の私のほころびは、大きすぎて、芸術家にしか理解してもらえなかった。

万人に理想を見せるほころび。そこここに、さまざまな少しずつのほころびがあり、曖昧《あいまい》のベールがかかる顔？

愛と美の女神は、案外、ちっとも美人じゃないのかもしれない。

とはいえ、ヴィーナスは、普通の鏡は見ない。彼女の鏡は、ピュグマリオンをはじめとする芸術家たちの脳である。彼女を映す鏡は、その鏡像として、理想の美人ガラティアを生み出し、その後も、数え切れないほどのアートを生み出した。

ヴィーナスの鏡

この「愛と美の女神ヴィーナスは、美人じゃないかも」仮説は、私をとても勇気づけた。素直な私は、あ～美人に生まれなくてよかったと、心から神（主にヴィーナス）に感謝している。

今、「ちょっとまずいかも」と思った、美人のあなた。そう、まずいのである。人生の後半、美人は損をする（こともある）（はずである）（ような気がする）。けど、我らがヴィーナスは、どんな完璧美人にも、しみ、しわ、白髪《しらが》、たるみをプレゼントしてくれる。男たちは、そのあなたのほころびにまた惚れる。感謝しよう。

運よくほころびの箇所を持っている若きヴィーナスたち。若い頃は完璧すぎたけど、最近、幸運にもほころびをもらった円熟のヴィーナスたち。若いときからほころびだらけだったけど、最近、新たにしみ、しわ、白髪、たるみのほころびをもらった私（こうなったら、もう「ほころび」とは呼べないかもしれない……）。

私たちは、浴室の鏡を見て、溜め息をついている場合じゃないのだ。愛するひとの脳、すなわち「ヴィーナスの鏡」を見なければいけない。

この本を読んで、「黒川伊保子って、自信過剰もいいとこ！（この顔で）」と思う方もいると思う。でもね、私の自信は美人だからあるわけじゃない。ほころびがたくさんあることへの自信なのである。「ヴィーナスの鏡」は逆鏡なのだ。わかりやすい美人じゃないからこそ、若くないからこそ、堂々とすべきなので、本全体でエラそうな口をきいてます。ご理解ください。

とはいえ、私たちのターゲットのほとんどは、芸術家ではないはずだ。新進気鋭の若き彫刻家ほどの想像力はなく、わかりやすい美の造形物を見せてくれるわけではない。

想像力の乏《とぼ》しい「ピュグマリオン」と、想像をかき立てるすべを持たない「ヴィーナス」。これが、普通の、男と女の出発点である。

この本では、そんな迷える「ヴィーナス」に、一気に達人になれる、とっておきのルールについて語ろうと思う。それらは、魔法と呼ぶほうがふさわしいかもしれない。「石を動かすのに、棒をてこにして、石を転がす」というような方法論ではなくて、「石を動かすのに、杖をふるって、呪文を唱える」みたいな方法論だからだ。

なぜなら、男たちの潜在意識に、遠回りに働きかけるから。遠回りだが、唯一の方法なので、結局は近道だ。ルール（魔法）の中には、私たち女性脳の潜在意識の扉を開く手段もある。

では、秘密の魔法書を、どうぞ、お開きください。

1

もうひとりの私

気づきの魔法

ほんとうに久しぶりに、私の大好きなひととデートをした。

桜の花芽を震《ふる》え上がらすような、冷たい雨の宵《よい》だった。隠れ家のようなレストランで、くつろいで食事をするなんて、何年ぶりかしら。

待ち合わせ用のソファで、読書をしながら時を計っていたら、風に押されるようにして、彼が入り口から入ってきた。全身に、星屑《ほしくず》を降りかけたように、雨の粒が光っている。自分の男なのに、なんて美しいのだろう、と見とれてしまった。

彼は、けして年齢より若く見えるひとではない。鍛《きた》えたからだを持っているわけではない。今流行《はや》りの甘い目鼻立ちをしているわけじゃない。髪も、昔にくらべたら、ちょっと頼りない気がする。

ただ、なにかの確信に満ちている感じがするのである。自信とはまたちがう、もっと一途《いちず》ななにかだ。この世の秘密を知っていて、人類のために任務を遂行《すいこう》しているような感じ。スーパーマンじゃあるまいし。本を閉じながら、私は、くすりと笑ってしまった。

よくよく考えれば、このひとだけじゃない。同世代の男友達が四十代後半に入ってきていて、それぞれに今まででいちばん魅力的な時期を迎えている。彼らを見ていると、若さ、ってなんだったのだろうと、思わざるをえない。若さより、美しいもの……が、歩いてくる。

彼には、革のソファに沈んでいる私は、どう見えるのかしら。ソファは深いモスグリーンだ。淡いたまご色のニットアンサンブルに、白いフレアパンツ。頭の中で、自分の見え方を確認する。お気に入りの真珠のネックレスをしてくればよかった、と、ふと思った。

自分がきれいに見えるように、というのではなかった。私の大好きなひとに上質の光景をプレゼントしたかったのだ。このひとが、人生のふくよかな場所に入ったことを、私というパートナーで再確認できたら。祈るように、そう思った。

今宵、彼を見つけた瞬間に、私自身がそう感じたように。

ふくよかな時間

その晩のレストランも、なぜか上出来だった。ラストオーダー間際の予約だったからかしら。珍しく三組しか客がいなくて、それぞれの組が柱と柱のあいだに収まってしまったので、まるで貸し切りのようだった。

彼は、少し疲れていた。けれど、私のコンソメスープに付いていたベーコンのパイを羨《うらや》ましがったり、木苺《きいちご》のちりばめられた菜の花のサラダに微笑んだりしているうちに、ほんとうに優しい、いい顔になった。

私の大好きなひとは、食事をのびやかに楽しむひとである。料理を深々と楽しみ、給仕のスタッフに嬉しそうに静かな声をかける。店のスタッフが、彼にサービスすることを、「光栄」に感じ始める瞬間がわかる。こういう場所での大人ののびやかさは、気品につながるのだなあと、あらためて思う。

私は胸がいっぱいになって、ハンサムね、と、思わず、日頃言わない誉めことばを口にした。

「そのことは、なにかの足しになる?」

と、彼が微笑む。

「私に、優しくしてもらえる」

あ～なるほど、と、さほど興味もなさそうに、彼がうなずいた。

「それ以外には、得をしたことがないね。ビジネスには、あきらかに邪魔になる」

ふ～ん。男がハンサムだと、ビジネス・シーンでなにが滞《とどこお》るのかしら？　ちょっと私の想像を超える。

「それからねぇ、若い女の子たちが、あなたと寝たがる」

彼の反応を見てみたくて、そうふってみた。

「こちらに寝る気がなきゃ、その重み付けには、なんの意味もない」

へぇ、否定しないのね。やっぱり、若い女の子たちが、彼に媚《こび》を売るわけだ。

「まったく、その気がないの？」

「ないね」

「面倒臭いの？」

「理由の大部分は、正直に言うと、そういうことだ」

私が眉を上げたら、まるで、いたずらがばれたような顔をする。そう、まるっきり欲情しないわけじゃないけど、ってことか。

けど、なんだか、その気持ちは、よ〜くわかる。私だって、若いひとたちのロールプレイング・ラブは、もうたくさんだ。わかりきったゴールのために、わかりきったステップで、わかりきったキーワードを渡さなきゃならない。

年下の男とデートをしたら、まずは、ビジネス・シーンの愚痴《ぐち》を聞いてあげなきゃいけないのである。たいていは、自慢まじりの愚痴だけどね。そして、そのほとんどは、経営者から見たら、一刀両断の愚痴でもある。

「あなたの気持ちはよくわかる」「あなたは誰よりもよくやってるわ」「あなたには、こういう才能があるじゃない。もっと、アピールしてみれば？」……お決まりのパスワードを並べて、ゴールまで。相手の答えも、聞く前から想像がつく。ついでに、ベッドの中の手順まで予測できる（もちろん、試してみる気はまったくないけどね）。申し訳ないけれど、私は、息子の宿題が気になりだして、どこを端折《はしょ》ろうか、最短パス検索モードに入ってしまうのである。

でもね、男の子はまだなんとかなるけれど、女の子は、これらを端折ると厄介《やっかい》だ。ゴールまでの道のりも、男の子の倍以上である。もったいぶった彼女の涙に、翻弄《ほんろう》されてもあげなくちゃならないしね。

　まるで、一度達成したロールプレイング・ゲームを、もう一度最初からやるみたいな、うっとうしさである。けど、それを全部すっ飛ばして、ベッドだけじゃ、悪者にされかねない。だけど、彼女が匂わせたベッドへの誘いを無視したら、もっと思いっきり悪者にされる。

　なんて、一瞬のうちに深く理解してしまったので、私は、

「たしかに、そのとおり。わかる。すごく面倒臭い」

　と、男同士のような口を利《き》いてしまった。

「だろう？　そうなるっていうのは、よっぽどのことだよ」

　つられて彼も、男友達に言うように、そんな口を利いた。そして、そのあと、私の目をのぞきこんで、優しく、

「な」

　と、念を押したのである。

　最後の「な」だけ、男と女のトーンだった。うん、と私も、女に戻ってうなずい

た。その昔、彼が「よっぽど」の扉を押した晩を思い出して、胸が熱くなる。

一千回の「愛してる」より満ち足りている、たった一文字の「な」。私が、今生《こんじょう》でもらった、もっとも短い愛の告白だ。

彼の脳に映る「私」

さて、その「な」の顔を見ていて、しみじみ思ったのだけれど、こういうときの彼の顔は、ビジネス・シーンとはぜんぜんちがう。目の周りに優しいしわができるからかしらん。瞳と瞳のあいだの距離が、ビジネスのときよりも広いような気がする。


あぁそうか、遠くを見ているのだ。と、私は気がついた。今、目の前にいる私ではなくて、彼の脳裏の奥、潜在空間に棲《す》んでいる「私」を見ているのだ。

私は、前から、気づいていたことがある。彼の脳の中には、現実の私とはまた別に、彼自身の「伊保子」が棲んでいるのだ。いつの頃からか、私は、彼といっしょに、このイメージの「伊保子」を育ててきたのである。

私が所有していない、彼の日常の大部分の時間、彼といっしょにいるのは、この幻想の「伊保子」だ。女性脳から見たら、あきらかに幻想の「伊保子」なのだが、これが男性脳の現実なのである。

あなたの恋人の脳の中にも、幻想の「あなた」が存在している。彼らは、日常のさまざまな隙間《すきま》の時間に、この幻想の恋人に「触れている」のだ。

生身の私たちが、「トイレに行く五分の休憩があるなら、メールも電話もできるだろう」と腹を立てている、その瞬間、彼らは、あなたではなく、「あなた」と交信しているのである。

生身のあなたと逢っているときも、彼らは、幻想の「あなた」と共にある。目の前の現実のあなたが、今宵、上機嫌でしっとりしていれば、彼らの脳の幻想の「あなた」は、すこぶる美人になって、よっぽどひどい電話でもかけなければ、次に逢うまでその美人度はキープされるのである。

彼らの脳は、プラモデルの設計図を見て、そこにあたかも完成体の三次元物体があるように感じるのだ。だから、彼らは、設計図からプラモデルを組み立てる、という行為を楽しめるのである。同じ機能を使って、彼らは橋をかけ、ビルを建て、ロケットを飛ばし、現実に見聞きする女の断片から、幻想の「女」を創り上げているのである。

現実と思考空間が乖離する男性脳

脳が右半球（右脳）と左半球（左脳）に分かれているのはご存知だろうか。右脳は「感じる」、左脳は「考える」を担当している。この「感じる領域」と「考える領域」とをつなぐのが、脳梁《のうりょう》と呼ばれる情報線だ。

実は、男性は、女性より約二十パーセントもこの情報線が細い。

このため男たちは、感じる領域のできごとを、考える領域（顕在意識）にあげるのが苦手なのである。

すれちがっただけの知人の、わずかな表情変化も見逃さない私たち女性には想像もつかないけれど、彼らは目の前の恋人の表情さえも、ちゃんとキャッチアップしていないのである。うんざりしているのに気づかないで、アニメの話に興じるオタク、なんていうのはこの典型。伏し目がちの瞳や溜め息で可愛く不満を伝えたって、ぜんぜん気づいてくれない男なんていうのも意外に多数派だ。

でもね、そのおかげで、私たち女の嘘は、男たちにはほとんどばれない。でしょ？

感じたこと（現実）と考えることが乖離《かいり》してしまうのも、脳梁が細い彼らの脳の特徴だ。生活費のすべてをギャンブルに投じてしまうのも、男性ならではの行為。「明日からの生活どうするの？」という現実からのブレーキがかからないからだ。知らない人間を次々に殺す快楽系の殺人鬼も、女性にはちょっとありえない。

もちろん、悪いことばかりじゃない。同じ特性のおかげで、見たこともない宇宙の果てを語る宇宙論を打ち立て、哲学を語り、命がけで壮大な偉業を成し遂げる。

この「現実」と「思考空間」の乖離こそが、「ヴィーナスの鏡」の鍵なのである。

目の前の現実をつぶさに把握《はあく》するのが苦手な男たちは、生身のあなたを、あなた自身の何十分の一の散漫な目でしか見ていない。

一方で、彼らの閉じた思考空間では、生身のあなたとは別の、空想の「あなた」が育っているのである。その「あなた」を育てているのは、生身のあなたが与えるちょっとした情報なのだ。

たとえば、ふとした微笑みとか、けなげなまなざしとか、セクシーな口元とか、優しい一言とか。逆に、うんざりした顔や、無神経な一言も、彼の思考空間の「あなた」に影響を与える。

もちろん、女もこれをする。思考空間に「理想の彼」を創り上げて、ちょっとは幻想を見るのである。けれど、脳梁が太く、感じたことをどんどん思考空間にあげている女性脳の場合、そう大きく乖離することはない。男たちの多くは、女の想像をはるかに超えて乖離しているのだ。

「私は私。ちゃんと見てよ」と腹が立ちますか？　「しめた！　けっこう上めに〝私〟を演出できるわけね」と前向きに捉《とら》えますか？

愚痴るとブスになる

というわけで。

花の予感に満ちた三月半ばの宵、居心地のいいレストランのテーブルについているのは、私の大好きなひとと、私と、彼の幻想の「伊保子」である。

だから私は、自分の気持ちをわかってもらいたい、などと、自分の気持ちの垂れ流しのために会話をすることはない。彼の「伊保子」を、いかに美しく、優美に、そしてスイートでキュートに仕上げようかと、その効果のために装《よそお》いとことばを選ぶのである。

私の中に、彼に癒《いや》してもらいたい苦しみや悲しみがしこっているときは、その「伊保子」を壊さないように、苦しいこと、悲しいことを告げるのである。だらだらと愚痴は言わない。薄紅のぼたんが色を失うように、ことば少なに、悲しげモードに入ることにしている。

女はどうしても、嫌なできごとの経緯を一部始終語って、「悲しい、ひどい、あんまりだ。私の気持ちをわかってもらいたい。そうでしょう？　私はまちがっているわけ？　え？　どうなのよ！」くらいまで、気持ちを全部並べておかないと気が済まない。そこまで言っても物足りなくて、「あのときもああだった」「このときもこうだった」と、過去の来歴も蒸し返す。女性脳には、時間だけが癒してくれる場所があって、長くしゃべれば、そこが満たされるからなのだ。

けれどね、気をつけて。長いしゃべりことばを認識するのが不得意で、空間のシーンをつなげて勝手に幻想を作り上げる男性脳は、あなたの愚痴なんか聞いちゃいないのである。あなたの「愚痴を言う、卑《いや》しい口元」を見ているのだ。

愚痴を言えば言うほど、彼の脳裏の幻想の「あなた」がブスになる。恨みがましい目の、うっとうしい女になってゆく。

彼らの電話やメールが遠のいたら、一度、こういうふうに考えてみたらどうだろうか。この頃、私は、彼の中の「私」を憂鬱《ゆううつ》なブスにしちゃっていないだろうか、と。

そう考えれば、やっと連絡がついた彼の電話に、どんな声で話してあげればいいかがわかってくるはずである。

不機嫌な声で、ここまで放っておかれた悲しみを伝えたいのは、よくわかる。よくわかるけど、それをしてしまったら、幻想の「あなた」は、ますますひどくなるよ。

こういうときこそ、「忙しかったみたいね。からだは大丈夫？」と、ふっくらした優しい声をプレゼントしよう。彼のためじゃなくて、彼の中の、幻想の「自分」のために。

愛される秘訣

恋人の中に、幻想の「私」がいる。

この気づきは、恋愛における、もっとも重要な魔法だと思う。

その「私」を、どう愛らしい妖精に育てるか。そう考えるだけで、恋人に対する言動のすべてが、自然と変わってくる。そうすれば、恋人が、まさに魔法にかけられたように変わるのである。

恋人は、この幻想の「あなた」に格別の親密感があって、深く安心できるので（そりゃそうだろう、彼の脳の中にいるんだものねぇ）愛《いと》しくてしようがない。心底ほどけて、これ以上ないというくらい、可愛がり、慈《いつく》しんでくれる。可愛がってもらえるのは、もちろん、現実のあなたも同様である。

こうなると、彼は、「あなた」から絶対に離れられない。彼を虜《とりこ》にして尽くしてもらうのは、もちろん、現実のあなたでもある。

はっきり自慢します。「私」は、私の大好きなひとから、溺愛《できあい》されている。彼は、「私」を、まるで幼い娘のようにかばってくれ、愛猫のように可愛がり、ときに少年仲間のように無邪気に遊んで、女として発情し、パートナーとして敬《うやま》い、母に対するようにいたわってくれる。

その「私」のほうは、ず～っと彼のそばにいるみたいだが、私は、ほとんど彼と共にいない。それでも私は、「私」のおこぼれで、十分、充実した恋愛生活を送っているのである。

これでは、ほんとうの私を愛されたことにはならないわ、と思いますか？　では、ほんとうのあなたって、どのあなたなのだろう。

メールが来ないと言って不機嫌になり、忙しい時間をやりくりしてかけてくれた恋人との電話を、すねることから始めて、なじることで終わるあなたは、ほんとうのあなた？　怠惰な生活をブランド品でごまかして、仕事で空回りし、愚痴を垂れ流すあなたは、ほんとうのあなた？

そんな自分、あなただって、納得していないはずである。自然体であるということと、地のままでいるということはちがうことだ。「大人になったら、素敵な自分を演出しなければならない」と、無数の本に書いてある。

もちろん、誰でも心の中では、とっくに、そのことに気づいているはずだよね。私になんか、言われなくても。

でもね、この世のすべての女が、まちがっていることがある（デキた女だって、人生の前半にはまちがっていたはずだ）。

女の考える究極のいい女は、男にとってのカワイイひととは限らない。また、どんなに自分を磨いても、万人に効く「素敵な私」というのが、普遍的、絶対的に存在するわけではないのである。あなたが出逢った個々の脳に対して、それぞれの「素敵な私」を育てていくしかないのだ。

恋人の脳の中に、彼のための「私」を育て上げる。ふたりの関係の中で見せる装い、立ち居振る舞い、聞かせることば、触れるからだ、そういう、その場で生まれて消える効果の積み重ねで、彼の中の「私」を素敵にすること。

それができたら、生身の美しさなんて、けっこう、そこそこでいいのである。若さなんて、ホントに、どっちでもいい。

美人の受難

もう一つ、この魔法には、大事な効果がある。

恋人の脳の中の「あなた」のつじつまが合うと、彼は、心底安心して、信頼してくれる。なので、無駄に束縛されないのである。

あなたが気づこうと気づくまいと、彼の脳の中には、幻想の「あなた」がいる。現実のあなたが、幻想の「あなた」に無頓着《むとんちゃく》に振る舞うと、彼は混乱し、不安になるのだ。

美人妻が、「働くな」「旅行も許さん」と、家に閉じ込められちゃうのは、彼女が美人で格別に愛されているからではない。美人だから、彼の脳の中の「彼女」が、生身の彼女よりずっと、女らしく化けちゃうのである。なのに、実際暮らしてみると、彼女は無神経で合理的で冷たかったりする（もちろん、彼が勝手に創り上げた、幻想の「彼女」より、なんだけどね）。

こうなると、幻想の「妻」は、彼の脳の中からときどき消えちゃうのだ。不安になった夫は、現実の妻を束縛する。ときに暴力さえ振るって、その存在を確かめようとするようになる。美人は、他人の期待が大きいだけに、無頓着に生きると、意外に不幸なのだ。

ちなみに、私が今まで見た女性の中で、男性たちの想像力を、もっとも強くかきたてたのはマリリン・モンローである。彼女にとって、ただ生きるということが、どんなにつらかっただろう。美人の方々、ほんとうにがんばってね。

一方、恋人の脳の中の、幻想の「自分」をうまく育てた女は、溺愛されながら尊敬され、尽くされながらぜんぜん束縛されないのである。

実際に体験してみると、本物の魔法なの？　って、ホントに思うよ。

すべての始まり

この魔法は、すべての人間関係に効く。

上司の脳の中に「あなた」がいる、ということに気づけば、有能にして柔軟な部下である「あなた」を育ててあげられるでしょう？

友達の脳の中に「あなた」がいる、と気づけば、タフで優しい友人である「あなた」を育ててあげられる。

顧客の脳の中の「あなた」もそう。逆に、自分が客になったときのサービスのプロから見た「あなた」も。両親の脳の中の「あなた」も、子どもの脳の中の「あなた」も。

想像力を働かそう。自分の脳だって、あなた以外の人たちを映している。その気があれば、必ず想像できるはずだ。

こう考えたら、愚痴や要求を、思いのままひとにぶつけている場合じゃないってことに気づくでしょう？　不機嫌な顔ですねたり、なじったり、そんなことしてる場合じゃないのだ。

こんなこと、誰も教えてくれなかった。私が手にした、どんな本にも載っていなかった。私自身は、脳科学による考察のおかげで、やっと、手に入れた知恵である。

この魔法を私は、始まりの魔法、あるいは、気づきの魔法と呼んでいる。

生身のあなたと、大切なひとの潜在脳に棲む幻想の「あなた」。これらを足し合わせた総合イメージこそが、あなたなのである。

生身の自分ばかり見つめて、幻想の「自分」をないがしろにしたままでは、どんなに努力をしたって、世の中は自分の思いどおりにはならない。惚れた男はままならないし、惚れてくれたとしたって、束縛されたり、「おまえはこういう女だ」と決め付けられたり。ビジネス・シーンでも、手柄は同僚の男たちに持っていかれることになる。

けどね、惚れた男が悪いのでも、社会が悪いのでもないよ。ほとんどの場合。

この幻想の「私」をどう設計するか。どう楽しむか、どう慈《いつく》しむか。大切なひとの男性脳に、美しい「私」を映しながら。

そのことに気づいたとき、女としての、ほんとうの人生が始まる。

次の章からは、気づきの魔法を理解したあなたのために、幻想の「私」を創り上げるための方法について語ろう。

あなたが、大切なひとの脳の中に幻想の「あなた」を、思いどおりに創り上げることができたら、あなたの「こうしてほしい」気持ちのすべてが、その愛しい脳に届くようになる。しかも、生身のあなたの完璧性は問われない。年齢を重ねて衰えていく自分に、脅《おび》えることもない。

この本の魔法をマスターした後は、どうか、のびやかに恋愛生活を楽しんでください。

2

シンプル・ビューティー

爽やかさの魔法

今朝、主婦たちの時間帯に、なんとはなしにテレビCMに見入っていたら、「爽《さわ》やか」というキャッチ・フレーズのCMが三つ続いた。

女性市場は、爽やかというキャッチ・フレーズが大好きである。

なぜなら、爽やかさは、若さを強調する魔法だからだ。二十五歳以上の女性であれば、爽やかであることを心がければ、そうでないときの見た目年齢より、五歳は若返ることができる。

若さへの傾倒は私の趣味ではないのだが、息子の学校へ出向くときだけは、この爽やかさの魔法を使うことにしている。クラスのお母さんたちのあいだでは「年長組」の私に息子が、他のお母さんに見劣りしないでね、と念を押すからね。

爽やかさの魔法の効かせ方、まとめておこう。爽やかさのポイントは、シンプルさと清々《すがすが》しさ、この二つを演出することにある。

シンプルさと清々しさ

シンプルなスタイル、と言ったら、どんな感じを思い浮かべますか?

たとえば、カットの美しい白いシャツブラウスに、黒・紺・グレー・茶色のパンツかオーソドックスなひざ丈スカート。プラチナの細いネックレスに、クラシックな腕時計をしてみる。

そうして、姿勢をよくするだけで、二十五歳から四十歳までの女性なら、それ以外の服装より必ず若く見える。だって、そもそも肉体が若さを持っているのだもの。それを邪魔しない、隠さない服装がいちばんだからだ。

リボンやフリル、レースに花模様、宝石やビーズのアクセサリー。女の子が大好きなお姫様アイテムは、それ自体がキラキラして、見る者の視線をかき乱し、せっかくの若さを隠してしまう。

かといって、なにも隠さないタンクトップにショートパンツは、シンプル・スタイルとは言えないのである。わきの下や、ひじ、ひざなど、肉体の機能上、赤ちゃんでもしわのよる場所は、動きによって表情を変えるので、フリルやリボンと同じ。見る者の視線をかき乱すため、全体の印象は、けっしてシンプルではないのだ。

というわけで、シンプル・スタイルのコツは、わきの下、ひじ、ひざを見せない、デコラティブでなく、素材とカッティングのよいスタイル、ということになるかしら。カジュアルなシーンでは、型のきれいなジーンズも、シンプル・スタイルの重要なアイテムだろう。

そのシンプル・スタイルで、背筋を伸ばし、顔を上げて颯爽《さっそう》と歩く。知人に会ったら、すかさず挨拶《あいさつ》の声をかける。

誰かに声をかけられたら、すぐに視線を移し、しっかりと話を聞いていることを全身で示す。聞いているんだか、聞いていないんだかわからない、「間《ま》」の時間を作らないことだ。相手の質問に答えるときも、けっして「間」は作らない。「はい」「そうですね」だけでも、間髪《かんぱつ》入れずに答えること。その後、本題に入るまでに少々の「間」があるのは、いっこうにかまわない。

これだけで、シンプルであることの演出は十分である。明日からでも実行できそうでしょう?

清々しさのコツは、上機嫌でさらりとしていること、だろうか。

他人の意見には、にっこり笑って「そうですよねぇ」とうなずく。反対意見は、「でもね、こんな考え方もありませんか？」と参考意見のように添え、結果、この意見が正しくて上司に誉められても、「いいえいいえ、ぜんぜん。ちょっと疑問に思っただけですから」と、また微笑。

清々しいひとは、他人を正面から否定するほど、他人に深入りしないのである。また、他人に誉められて有頂天になるほど、他人に入れ込みもしない。

だから、愚痴《ぐち》を言うようなことはしないし、他人の愚痴もさらりとかわすのが上手だ。「見方を変えれば、いいんじゃない？　部長も、ああ見えて、あなたに期待してるのよ」なんてね。あ〜、なんて、いいひとだ。

触れるか触れないかの位置で、終始、機嫌よく他人と接する。清々しさは、シンプルより、少し難しいかな？

ざっと、これだけで、爽やかなイメージは、完璧に強調できる。

爽やかさのイメージをまとうと、外見年齢よりも五歳ほど若返ることができる。

周囲の男性の受けもよく、先輩の女性陣からも「いい娘ね」と引き立てられる。

これが、「爽やかさ」の魔法の第一の効力である。


この魔法には、第二の効力がある。「爽やかさ」をまとったときの他人との関係は、踏み込まないし踏み込ませない、だけど、あくまでも拒絶せずに上機嫌に楽しそうにしている、という位置関係になる。

仕事上の人間関係などで、うまく他人を踏み込ませないバリアを作れる。社会で広く活躍する女たちには、必要不可欠な「魔法の杖」かもしれない。

表面だけの女

こう表現すると、「爽やかさ」には、なにも欠点がないような気がするが、ご用心。

「爽やかさ」の魔法を三十過ぎても使っていると、意外な副作用がある。表面だけの女、奥行きのない女に見えるのである。

男も女も大人になれば、あえてことばを使わずに、ニュアンスで交感する事柄が増えてくる。そっと黙ってそばにいてくれて、こちらの溜《た》め息に、そっと手を握《にぎ》ってくれるような大人の恋人。本論とは関係ない話題で、本論のわだかまりを解いてくれる、エスプリの効いたビジネス・パートナー。

大人の会話は、複雑なのである。

心のひだを垣間見せたデリケートなことばに、「そぉうなんですよねぇ」と間髪入れずににっこり笑ってうなずかれても、大人の男は虚《むな》しいだけなのだ。

せめて返事をするまでに、今のことばを大切に味わっているかのような、次のことばを心を込めて選んでいるかのような、もどかしい何秒かがほしいところである。できれば、定番でない、情緒的なことばを返してきてほしい。

そもそも、大人の男たちは、デートの最中にも、所用の電話一つで戦略モードに切り替わってしまう健気なビジネス脳の持ち主である。心のひだを垣間見せる、なんていうのは、非常に稀《まれ》な行為であって、相手の女に、深く包み込むように受け取ってもらえると確信しないかぎり、そんなことはできないのだ。ベッドに誘うより、ずっとハードルが高いのである。

というわけで、惚れた男に心をほどいてもらいたかったら、ふんわりとした奥行き感がないとね。

外見年齢よりマイナス五歳の若さを手に入れるか、惚れた男の純情をもらうのか。三十歳になったら、どっちを選ぶか決めなければならないのである。

どうも、二十代にモテた女性ほど、いつまでも「爽やかさ」の魔法から離れられないようだ。若さへの執着、ちやほやされることへの郷愁……なんだろうなぁ。私自身は、あまりされたことがないからわからないけど。

けどね、強く演出された爽やかさと奥行き感、これは絶対に共存しないよ。私が勝手に言っているのではない、科学的な表情分析の結果がそう教えてくれているのだ。

四十過ぎて「若い頃はあんなにちやほやされたのに、これという恋人が現れないなんてどういうことかしら」と嘆く女性たちをよくよく観察してみると、いまだに「爽やかさ」の魔法を乱用しているのである。気をつけようね。

恋のスパイス

こうやって爽やかさの功罪を書いていたら、私の胸の奥がちくりと痛むのである。うずくような深い痛みだ。

なんだろう、と、しばらく脳裏を探ったら、思い出したことがある。

遠い記憶の遥《はる》か彼方《かなた》、私は私の大好きなひとにからんで、挙げ句、バーのカウンターで泣き出したことがあった。しっかりした酒の出し方をするバーだった。完全なマナー違反である。酔っていたわけではないのに。

私が彼の前で、自制心を失ってぽろぽろと涙をこぼしたのは、後にも先にもこのときだけだった。

なぜ、あのとき、私はあんなにも切なかったのだろう。しばらくして、このときの自分自身の気持ちを分析してみたら、意外な原因に思い至ったのである。

その晩、私を傷つけたのは、彼の爽やかさだったのだ。

その前日、私たちは、夜更かしして散歩を楽しんでいた。理系のふたりして、星降る夜の科学談義である。宇宙の神秘は、いつだって私たちを、それに初めて触れた高校生の頃に戻してくれる。色っぽい話じゃないのに、心のひだをそっと重ね合わせたような、そんな密《ひそ》やかな時間になった。

そう感じていたのは、私だけじゃなかったらしい。別れ際に、つないでいた手を離したら、彼が、そのまま掌《てのひら》を滑《すべ》らすようにして、私のひじをそっと握ったのである。彼の全身が、離れがたい、と伝えていた（あんなに切なく甘やかな彼は、それ以後、二度と見たことはない。今じゃ、別れ際なんかかえって嬉しそうである）。

どちらからともなく、明日も逢おう、ということになったそのバーに、私は仕事場から、化粧直しもしないで向かうことになった。この日にかぎって、夕刻からクライアントのトラブルを持ち込まれたのだ。

駆け込むように扉を開けたら、彼が、珍しくブルージーンズ姿で、楽しそうにビールを飲んでいた。シャワーを浴びる時間があったのだ、と、くつろいだ、爽やかな笑顔で迎えてくれた。

私がどんな気持ちだったか、女性読者の方なら、きっとわかってくださると思う。おでこがテカっているはずの自分、髪もボサボサの自分がとてもみじめだった。

彼の爽やかさは、私を傷つけた。昨夜、彼が見せてくれた、心のひだ。今夜、もう一度触れたかったそれを、私はどうしても見つけることができなかったのだ。タフで爽やかな今日の彼は、表面しか見えなくて、踏み込めなかった。そこへ踏み込めるほど、私はその晩、タフじゃなかったのである。

彼のほうは、まったくのオープン・マインドだった。自分の爽やかさが、ふたりの間にジュラルミンの扉を作ったとは、思ってもいない。昨夕《ゆうべ》の続きのつもりだったのだろう、ノート型のマシンを開いて、楽しそうに最新の開発プログラムを見せてくれた。

私はケチをつけるつもりで、彼のプログラムの問題点を指摘した。彼は、気分も害さずに、「それはあなたの見解だね？」と、嬉しそうにディベート（反対意見を楽しむ討論）に応じた。

このディベートに、私が耐えられなかったのだ。二重のルール違反だと知りながら、ディベートで感情的になり、静かな大人のためのバーで、涙をあふれさせた。

今思っても、この晩のことは、悲しい。

そのとき以来、彼は、ブルージーンズで私の前に現れないのである（そうこうするうちに、ジーンズの似合う歳でもなくなってしまった）。彼の中に、トラウマができてしまったのだと思う。私の前で、安心して少年に戻れないのだ。女子はやっぱり女子なのだ、宇宙の話に自我が勝つ、と、がっかりしたのにちがいない。

あの晩、私を傷つけたのが、彼自身ではなくて、彼の爽やかさだと気づいていたら、私は、前の晩の宇宙論に戻れたのに。彼のこの場所、「少年たちの密室」に、私が再び迎え入れられるには、まだもう少し時間が要《い》るみたい。仕方がないね。

爽やかさは、さまざまな感性イメージのうち、心のもっとも表面側にある表情なのである。

爽やかさを強調すると、奥行きが見えなくなる。こうして、愛するひとの心をへだてる美しい壁にもなってしまう。

そう考えると、意図しない、生来の爽やかさを持っている若い時期の恋は、厳しいよね。

あなたを締め出したのは、彼自身じゃなくて、彼の爽やかさなのかもしれない。その爽やかさは、大好きなあなたに逢うための、一生懸命の演出だったかもしれないのに。

まあ、こういう切ない思いも恋のスパイスだけれど、あんまり悲しかったら、私の失敗を思い出して。彼の爽やかさに卑屈になることなんかない。男は、意図的に爽やかさの結界を張るような、そんな器用な動物じゃないもの。男の爽やかさは、好意の表れ以外のなにものでもないのである。

3

デキる女

合理化の魔法

私の大好きなひとは、メールや電話を、めったに寄こさない。それだけならまだしも、私のメールを読みそこねてしまうので、ちっとも意思の疎通ができないのである。

あるとき、とうとう、

「なぜ、私のメールを最後まで読まないの？　私のメッセージなんか、どうでもいいと思ってるんでしょ。私を、バカにしてるのね」

と何年か分の怒りでまくし立てたら、

「正直言って、あなたのメールには、なにが書いてあるのかわからないのだ」

と、困惑したような目をして、言うのである。

彼は軽々しくこういう言い訳をするタイプではないので、はた、と、私は止まってしまった。なにが書いてあるのか、わからない？　なぜだろう。あんなに一生懸命書いたのに。

そこで私は、過去、彼が読み飛ばした（あるいは読みそこねた）メールを並べて、分析してみたのである。

で、なるほど、と声をあげてしまった。

彼の読みそこねたメールは、すべて、私の気持ちや状況をめんめんと綴《つづ》る文章から始まっているものだ。共通の骨格を表現するなら、

「今日こんなことがあって、私ね、こんなふうに思ったの。そういえば、以前、こんなことがあったとき、あなたはこんなふうにしてくれたよね。嬉しかったわ。そんなこと思い出していたら、なんだか、逢いたくなっちゃった」

てな具合だ。ふふふ、カワイイよねえ？　けど、彼にはこの文章、認識不能なのである。

あるいは、こちらが怒っているときのメールは、こんな感じである。

「昨日、あなたはこう言ったでしょ？　私、悲しくなったけど、なんだか言えなかったの。前から、寂しかったんだよ、あなたのこういうところ。あのときも、このときも、そうだったの。私のことなんて、あなたにとって、それくらいの重さなんだよね」

こういうメールを、スクロールなしで読める量なら、なんとか読破しているよう

だが、それを超えたら全滅である。

私は、なんだか、愉快になって笑ってしまった。

ああ、あのひとったら、ほんとに典型的な男性脳なのねぇ、と、しみじみ思い知ったのだ。あわせて、あんなに気を付けていたつもりなのに、私も彼の前では、ただの女なのだとあらためてわかった。自分たちのことなのに、なんて愛らしい恋人同士なのかしら、と微笑まずにはいられない。

「ゴールはどこ?」

さて、私の失敗を解説するね。

男性脳は、「今、目の前の現象から、やるべき責務を探し出し、その責務をもっとも効率的に遂行《すいこう》する」ように進化した脳なのである。

彼らは、会話の最中も、メールを読んでいるときも、新聞を読んでいるときも、もちろん仕事をしているときも、デートの最中も、ベッドの中でも、目の前の事象を分析して、「やるべき責務」を探し出している。前頭葉《ぜんとうよう》と呼ばれる、彼らの額の部分で行われている無限の演算である。

女たちはよく、会話を、状況や気持ちの語りから始める。

「今日ね、朝ごはんを食べ終わったら、ユミさんから電話があったの。洗濯機の脱水が終わったところなのに、いきなり本題に入っちゃうのよ。シーツがしわになるだろうなって気が気じゃないのに、延々と愚痴《ぐち》を言うわけ。外は快晴よ。布団だって干したいじゃない？　ねぇ」

話の相手が女なら、「そういうの、ホント困っちゃうのよねぇ。でも、ユミらしくないわね。なにかあったのかしら。それで？」とあいづちを打ってあげるところだが、男は、その長いセンテンスに「やるべき責務」が探し出せないので、解読に失敗してしまうのである。つまり意味が見出せないまま、前頭葉から文章が消えてしまうのだ。

したがって、ちゃんと聞いてはいるものの、「今、彼女がなにを言ったのか」ほんとうにわからないのである。

誠実な男性脳の場合、がんばって一～二文を読みといた後に、「きみも、洗濯しているから後でかけ直す、って言えばよかったじゃないか」みたいに、せめて評価を試みて、会話における責務を果たそうとする。

でもさ、これ、地雷だよね。ほとんどの場合、彼女は憤慨《ふんがい》する。「あなたは、いつも、私の話の腰を折る！」

彼女はきっと（絶対に）、ユミさんの電話をどう始末したらよかったのか、を彼に聞いているわけじゃないのだもの。

女の話は、最後まで聞かないとわからない。その、朝からの長電話のせいで身支度の段取りが狂ってしまって、マニキュアがキレイにぬれなかった話をしたいのかもしれない。熱心にうなずきながら聞いて、最後に「ほう、たいへんだったね」と言えば、八十点の恋人である。

「それにしても、ユミさん、ストレスがたまってるなぁ。きみがそういう女じゃなくてよかったよ」

と言えれば、百点満点。

「前から思っていたけれど、君の指はキレイだよ」

と付け加えたら、百二十点、大天才「彼氏」である。

男性の読者がいたら（いないと思うけど）、今頃、ぜったい「けっ」と声を出していちにちがいない。

「電報」メール

私のメールは、この〝ゴールのわからない独白〟に似ていた。「今日ね、公園のいちばん東側の桜が満開だったの。今年の桜は、グレイッシュ・ピンクね。花芽のときに寒かったから、灰色がかってしまったのだわ。夜桜で観ると、きっと、幻想的なモノトーン。あなたといっしょに観られたら素敵なのになぁ、と思って、しばし立ち止まって見とれていました」とかね。

私の愛《いと》しい男性脳は、この延々と続く私の独白から、「やるべき責務」を見つけ出せないのである。このため、彼の前頭葉からは、意味を把握《はあく》できないまま、この文字列が消えてゆく。彼は、ほんとうに、このメールの意味がわからないのだ。

せめて、最後の文が、「今夜あなたと観たいの。二十二時くらいまでに逢えない？」となっていれば、なんとか返事をくれるかもしれない。けれど、この場合も、NGのときは黙殺される可能性が高い。

いちばんいいのは、いきなり「桜満開。今夜逢いたい。二十二時まで待ってるけど？」の電報形式である。これだと、OKなら待ち合わせの場所を確かめるために、NGの場合も、待ちぼうけを喰わせる危険（正確には、待ちぼうけを喰わせて激怒される危険）があるので、ちゃんとメールが返ってくる。

若い読者だと、ここまでしてメールの返事をもらうわけ、と、笑うかな？　そう、こうまでしてメールの返事をもらうのである。長い付き合いの大人の男にはね。後は、仕事が終わったらシャワーを浴びて、二十二時まで品のよいバーで彼を待って、たぶん、ぎりぎりにやってきた彼と、ことば少なに桜を観るだけだ。

でもね、帰り道に、彼はそっと手を握ってくれる。冷たいグレイッシュ・ピンクの今年の桜が、彼の脳いっぱいにあふれて、しばらくは、私を思うとき、彼の脳裏に桜の花びらが舞うだろう。それで十分である。

だって、彼の中の幻想の「私」が、二週間ほど桜の精に変わるのだもの。その次のデートのとき、とっても溺愛《できあい》してくれる。

「彼から誘ってもらいたい」なんて、甘ちゃんなこと言ってると、彼の中の「私」が桜の精になりそこねる。デート一回分の溺愛を、損しちゃうのだ。無骨な男性脳相手に、どちらがメールを出したって、どちらがデートを提案したって、そんなこと、いっこうに気にする必要はないのである。

最初の三十文字

さて、この話、プライベート・シーンにとどまらない。

男は、相手の発話の、最初の三十文字以内に責務を探し出す糸口が見つけられないと、「なにを言っているんだか、よくわからないひとだ」と感じるのである。

上司に、なにかの報告や提案をするとき、つい思いついた順に延々と語りだしちゃうこと、ありませんか？

「昨日、久しぶりにデパ地下で買い物をしていたら、「豆腐のプリンに行列ができてたんですよ。豆腐臭いんじゃないのか、とか、彼に文句言われながらも、並んで買ってみたら、これが意外においしかったんです。彼なんか、ぶうぶう文句言ったくせに三つも食べるんですからね。で、よくよくデパ地下全体を眺めたら、プリンって、最近、デザート売り場だけじゃなくて、中華のデザートコーナーにもあるし、専門の売り場もあるし、ざっと見ただけで四十種類以上あって、どれもよく売れてるみたいなんです。それも、上にクリームとか果物とか載ってるのはダメで、わかりやすいプリンが人気なんですよね。やっぱり、女性にはその機能のわかりやすさと、百八十〜二百五十円という、ケーキより一段安い、デザートの下方価格帯なのもいいのかな、と。それで、例の商品企画なんですけど、機能を絞《しぼ》りきって、価格帯を従来商品群のすぐ下方あたりにもってくるのはどうですかねぇ」

なんてね。

ちゃんと聞けば、立派な提案なんだけど、大人の男の上司だと、なんの脈絡もなく登場した彼が「三つ食べた」あたりで、話を追っていけなくなって、前頭葉が真っ白になる。

最初に、「例の商品企画で方向性が見えたのですが、その考え方で企画を進めていいかどうか、ご判断いただけますか」と言えばいいのである。

できれば、その後すぐに「プリンが、女性マーケットで永遠の定番なのは、なぜだと思われますか？」とぶち上げて、さっさと、シンプル＋下方価格帯だと言ってしまうのがいちばんなのだが、そこまで情報整理できていなくても大丈夫。最初の一文で、男性脳に「責務提示」をしてあって、この会話が単なる愚痴の垂れ流しじゃないと安心させておけば、男性脳だって、ずいぶん忍耐度が上がるのである。

私は、整理できない状況報告を、男性脳に持ち込むとき、

「プロジェクトにトラブルの予兆を感じるのですが、私には、うまく整理できません。思いつくままに話してもかまいませんか？」

などと、最初に確認する。

私の大好きなひとにだって、長い文脈の話をするときは「この件、自分では、うまく整理できないの。混沌《こんとん》としたまま話してもいい？」と、最初に聞いている。

彼は、「あなたの混沌は、いつものことだから慣れてるよ。前置きなんかしないで、どうぞ」とか言うくせに、この前置きなしに話し始めると、受け取りそこね

て、あきらかに途中から、遠くを眺めているのである。

対話やメールの、最初の一文で、明確な方向付けができる。

これだけのことだが、基本的に結論しか必要としない男性社会では、非常に重要なことなのだ。男たちに、「デキる女」と呼ばれ、ビジネス・パートナーとして大切にされている女の全員が、これができる。

簡単に言ったが、これは、たいへんなことではある。女の視点や論点は、男たちのそれとちがって、情緒的な部分にある。すなわち思考が、「あれ、このひっかかりってなにかしら」のような、直感的なインスピレーションから始まる場合が多い。

そのうえ、女性脳は、ことばを紡《つむ》ぐことによって情報を整理する癖がある。たいていは、語り始めてみないと、結論が出せないのである。

でもね、そこを乗り越えたら、いっぱしの「デキる女」である。

現実的でタフ

デキる女になるためには、心身共に鍛《きた》え、学問も修め、ビジネスの経験も根気よく積んで、常にスキルアップも忘れない向上心も持つ。そのうえ、週末は美術館に行くような心の余裕を持ち、常に美しく若々しく自分を保ち、品のよいブランド品を持って……なんて、気の遠くなるようなこと、考えていましたか？

まあ、そういう努力をする自分が好き、というひとなら、それでいいけど。けどね、それだけのことをしても、周囲の男たちから、デキた女と呼ばれない女が山ほどいる。

デキる女として尊重される条件は、たった一つなのだ。学歴でも肩書でもない。何度も言うけど、男相手の会話の最初に、この会話における相手の責務を明確にすること。この会話のゴールを示すこと。そのいずれかが示せないのなら、「話はうまく整理できないけど、なにかあるような気がする。申し訳ないけど、聞いてください」と言うこと。

メールなら、気持ち語り、状況語りを避けて電文形式にする。曖昧《あいまい》さを、極力排除して、「このメールを読んだらなにをすればいいか」を迷わせない。

コツは、自分が今から伝えようとしていることに、いったん頭の中でキャッチ・コピーを付けることだ。「デザート・マーケティングの教えてくれること」とかね。

私は、ときどき、このコピー・ライティングに失敗して、仕事場で笑われる。思考のベースが随筆家なので、「プリンの秘密」なんて、情緒の魔法がかかっちゃうのである。

けど、いいのである。短いことばで失敗しても、「おい、そりゃ、わからないぞ」と指摘されて、やり直しが利《き》く。長い文脈の果てに、相手の脳が真っ白になり、「デキない女だなぁ」と思われるよりは、ね。

これは、「合理化」の魔法である。

会話やメールの最初に、相手の「すべきこと」を明確にする。これだけなのだが、これができると、会話もメールも、とても短くなる。

男たちの脳は、合理化に向かって進化した脳なので、女が合理的であることは、男社会へのパスポートでもある。男社会にストレスなく受け入れられて、無二の仲間として大切にされる。

そして、恋人の脳の中の幻想の「あなた」は、現実的でタフな知性の持ち主として、敬愛されることになる。「合理的」と「現実的」は、顕在脳と潜在脳で、ワンセットになっているためだ。

実は、男性脳は女性脳に比べて、非常に不安定な機構を持っている。したがって、生きるうえでの不安感が、女に比べて強いのである。ただ生きているだけで、不安なのだ。若ければ、若さゆえの不安がある。年をとってくれば、老いることがまた不安だ。鈍感なので、その不安が喜怒哀楽に直結しないため、日頃はあまり目立たない。けれど、その不安が急に募《つの》って、理由のわからない自殺をするのは、たいていは男なのである。

したがって、ロマンティックでスイートな女でありながら、いざというときは、現実的な思考でタフに切り抜けてほしい。パートナーに全方位を求める気持ちは、男のほうが強いのである。

ついでに言うなら、タフに切り抜けた後、緊張の糸が切れたところで、純な涙の一つも見せてくれたら、男たちは胸が締め付けられる。お手本は、宮崎駿《みやざきはやお》映画のヒロインたち、ですね。

でもね、宮崎映画とちがって、魔女とも怪物とも独裁者とも戦う必要のない、現代日本の男女関係では、なかなか現実的でタフなところを見せてあげる機会はないのである。

したがって、生身のあなたの合理的な口の利き方によって、幻想の「あなた」にタフなイメージをつけてあげるのがいちばんだ。

あなたのメールが合理的な電文方式になっただけで、幻想の「あなた」が凛々《りり》しい少女ナウシカになる。男の潜在脳なんて、カワイイもんでしょ？

母親か妖精か

「合理化」の魔法にはもう一つ、女として生きるうえで重要な、深い意味がある。

不安に陥りやすい男性脳は、寄り添う女性脳に、現実的な知性を求めるが、それが満たされないと、次に母性を求めることになる。

つまりね、合理化の魔法をちゃんと使えない女は、長く男と付き合ううちに、母親代わりにされてしまうのである。

母親にされてしまったら、たまらない。彼らは、ロマンスも提供せずに、ひたすら面倒を見てもらいたがるようになる。

最初は、幼児と母親の関係だ。もちろん、本物の幼児のようには甘えられないから、束縛したり、勝手にこちらの長所（自分に都合のいい長所）を決め付けたり、偉そうに役割を押し付けたりする。「お前は、賢い女だろう。うまくやってくれよ」「お前はカワイイ女なのに、そんな口、どうして利くの」とか、「黙って、俺についてこい」とかね。

そのうえ、である。現実の母親との親離れが完成していない男、すなわち幼児期にスキンシップが満ち足りておらず、そのせいで、思春期に母親をしっかりうっとうしがることができなかった男は、そのうち、ちゃっかり「親離れ」しちゃうのである。

つまり、恋人あるいは妻という擬似母親から、親離れするのである。脳には、たぶん「親離れ」というプログラムが仕組まれているのだろう。こんな、ひょんなところで発動してしまうのだ。ロマンスもくれないで、いいかげんわがまま言って、束縛したり傷つけたりした挙げ句に、「親離れ」して、外で恋愛をする。

バカな、と思うでしょ？　世の中を見ていると、意外に多いケースだと思うよ。浮気ではないのだ。彼にとっては生まれて初めての、めくるめく恋愛なのである。

さてさて、この現象をどう見ようか。

実際に、男の子の母親をやってみて思うのだけれど、息子は、息子なりに母を深く愛している。ロマンスの対象ではないってだけのことだ。

思春期後の息子から見たら、母親は、近づきすぎたらうっとうしい。できたら、黙って少し離れていてほしい。もちろん、切ない思いで抱きしめるわけないし、愛しがって手をつないで寝る、なんてことはけっしてありえない。だけど、弱々しく見えたら、多少いたわる気持ちはあるし、けっして捨てられない。死ねば大泣きだ。母親が、いい女かどうかなんて、いっさい関係なく。

私は、息子の心の奥の純情は、生涯、母親の私に捧げられるものだろうと確信している。これは、息子を持ってみればわかる。だから私は、私の大好きなひとの母親という聖域にぜったい踏み込まない。彼の母親を、けっして評価したりなんかしないよ。彼がたとえ悪口を言っても、困ったわねぇ、という目をして、にっこり笑うだけにする。それくらい、男にとって、母親は絶対なのである。

だからね、惚れた男の母親になってしまう、というのも、一つの手かもしれない。結婚して亭主の母親になってしまって、無神経で無頓着《むとんちゃく》に生きても、なんら捨てられる心配もなく、「亭主元気で留守がいい」と豪傑笑いができる中年以後っていうのも、案外、幸せなんじゃないかなあ。

「合理化」の魔法を使って、生涯現役の女を張るか、惚れた男の母親になって、女友達との温泉めぐりで中年以降を謳歌《おうか》するか。

途中で人生を切り換えて、二つの味を楽しむか、誰かの母親をやりながら、だれかの妖精になって、同時に二つの味を楽しむか。

合理化の魔法さえ理解してしまえば、選択権は、完全に女の側にある。あなたの人生、あなたのお好きな味でどうぞ。

カワイイ呪文＊彼の気持ちをほどくために

「あなたは、私といっしょにいないときに、私を思うことがある？」

なんでもないちょっとした沈黙の後に、こんな質問をするのが私の癖だ。

「いつも、思うよ」

にっこり笑って、私の大好きなひとが反射神経で言う。

若いうちは「さすがに、仕事中はないよな」などと真面目に答えていた彼も、四十代半ばになって、こういうことをなにも考えずに言えるようになった。

だって、「仕事中はない」なんて限定否定したら、「じゃあ、いつ思うの？」とさらなる質問を返されて、よけい面倒だものね。

いつだったかこの質問に、「朝起きた、まどろみのとき」と答えたので、「じゃあ、夜は？」とたたみかけたら、夜はすぐに眠りに落ちるからそんな暇はない、と答える。なんだか、ひどく寂しくなって、「夜も思い出して。ついでに、お昼ごはんを食べた後も思い出してほしい〜」と甘えたら、「この会話には、どのような意味があるのだ？」と、冷静に刺された。う。たしかにそうだった。

女は会話で「そぞろ歩く」ことを楽しむが、男性脳は、ゴールを目指すようにしかできていない。女がほしがる答えを最初に渡せたら、一挙にゴールだ。バカバカしい予定調和であっても、男は照れずに、女のほしがる答えを渡せばいいのである。

けどね、男が楽な、この定型応答文、実は女の側にも効用がある。この習慣があると、ちょっとした甘えごとを言いやすくなるのである。

私の大好きなひとは、逢えば最初に、

「私に逢えて、嬉しい？」「もちろん、嬉しいよ」

を、必ず言わされることになっている。

四十代半ばの（ＪＲのフルムーン・パスも買える）中年カップルである。あんまりバカバカしいのか、彼は毎回、吹き出しながら「もちろん、嬉しいよ」と言う。「あ〜、はいはい」という合いの手が入ることもある。

でもね、これでお互い、逢う直前まで抱えていた仕事の緊張がほぐれるのである。なので、そのあと、「じゃあ、今日は、美味《おい》しいワインおごってもらおうっと」とか、「ねぇ、ご飯の前に散歩しましょうよ」とか、たわいのないおねだりができる。

デートの最初に小さなわだかまりができがちなカップルは、試してみるといい。多忙な時間を切り取るようにしてやってくる男に、遠慮して甘えられず、仕事の延長のような口を利《き》いてしまうキャリア・ウーマンなどに、特におすすめである。

「彼に優しくしてほしいのに、なかなかそうは言えない」「甘えたいのに、甘えられない」と悩んでいるのなら、こういう、「開けゴマ」の呪文を持てばいいのだ。あなたらしい、カワイイ呪文を考えてね。

このカワイイ呪文、魔法学的には、もっと深い意味がある。

これは、彼の潜在脳の中の幻想の「あなた」を呼び出す呪文なのだ。仕事の緊張を引きずってやってくる大人の男たちの脳には、なかなか幻想の「あなた」が戻ってこない。目の前のあなたの、輝くような笑顔をもってしても、である。

男性脳というのは、仕事モードとプライベート・モードが、はっきり区別されている。仕事モードのときには、プライベートなアイテムはすべて、折りたたまれてタンスに入っているようなものである。逆に、プライベート・モードに入るときは、今度は仕事のアイテムをたたんでタンスにしまうわけだ。

女性脳は、ビジネス・アイテムもプライベート・アイテムも、すべてがハンガーにかかったウォークイン・クロゼットのようなものなので、一瞬のうちに、この二つのモードを行ったり来たりする。

したがって、ちょっと想像がつきにくいが、責任の重い大人の男たちは、仕事モードからプライベート・モードに切り替えるのに意外に大きなパワーが要るのである。

恋人の切り替えが悪くなっても、以前は、会った途端にあんなに夢中になってくれたのに……なんて、愛情を疑う必要はさらさらない。彼が、いい仕事をするようになった証拠だと思えばいい。

とはいえ、彼とのデートを、情緒あふれる甘いものにしようと思ったら、早く、幻想の「あなた」を呼び出さなくちゃ。ランプをこすらなきゃ。

というわけで、カワイイ呪文、なのである。

冒頭の質問「私のことを思うことがある?」は、まさに、彼の幻想の「私」を思い出させる直接的な魔法なのが、おわかりになると思う。

これは、ふたりの時間に、彼が仕事の思惑にからめとられたとき、私のもとへ呼び戻すための呪文である。たとえば、やむを得ず所用の携帯電話に出た後、彼の顔が険しいまま、ちょっと気まずい沈黙が流れたようなときに使う。

こんなとき、「どうしたの? その電話」なんて質問して、「いや、実は」なんて仕事の話になったって、デートには百害あって一利なしだ。

私は企業コンサルタントなので、多少の相談には乗れるかもしれないが、スタッフではないから実務での解決はできない。だとしたら結局、小賢しい口を利かれたような印象だけが、彼に残るのである。

男性脳は、不器用だ。女とちがって、敬意と欲情は、同じ瞬間にはおこらない。なので、本気で彼の力になろうとしたら、私の側も欲情を断ち切って、シャツブラウスの胸ボタンを一つ留め、ジャケットを着る。組んでいた足を、そろえて座りなおす。長い付き合いの中に、そんなことも一度だけあった。

こういうときは、その日のデートがすっかり台なしになるのも、もちろん覚悟の上だ。彼としては、気持ちを切り替えたつもりで、力になってくれたパートナーのために優しい夜を提供しようと努力してくれるのだが、いつものような、スイートな彼には変身してくれない。責務処理モードの目をしているので、こちらもつらくなるのである。

けれどね、そうやってみて気がついた。この世のたいていのビジネス案件は、敵が地球の裏側にいるのでないかぎり、夜が明けるまで待ったって別に問題はないのである。

あなたが有能なキャリア・ウーマンで、「彼が優しくしてくれない」という不満があるのだとしたら、デートの会話に、無神経に仕事の話をはさんでいませんか？　ここの部分、男性脳は、ひどくデリケートなのである。

どうしても気になるのなら、朝の食卓で、新聞を読み終えた彼に、コーヒーをすすめながら、さりげなく切り出せばいい。「最近、あのプロジェクトはどう？」とかね。

というわけで、乾杯の後の、仕事の割り込み電話。その内容を聞きたいところをぐっとこらえて、「私といっしょにいないとき、あなたは私を思うことがある？」と、私は呪文を唱える。「いつも、思うよ」と微笑みながら、彼はゆっくり戻ってくる。

パートナーとの会話に、ここまで気を遣うの？　と、驚くかしら。

けれど、かえって、ものすごく楽なのである。このポイントを外しておいて、口でどんなに「優しくして」「大切にして」と要求しても、男心は、スイート・モードに入るものじゃない。

カワイイ呪文と、ビジネスからの賢い回避で、彼の脳をスイート・モードに入れてしまえば、後はこっちのものである。彼の潜在脳の中の、幻想の「私」が、艶然と微笑みながら出現するのだ。そうなったら、こちらが多少高飛車な口を利いても大丈夫。甘い笑顔で「しょうがないお姫様だな」と、けっこう言いなりだもの。

言っておくけど、私は、若いという誉めことばをもらったことのない中年女だし、彼は同世代。別にロマンス・グレーの〈パパ〉じゃない。

もう長くこのペースだから、たぶん、老、ということばをいただくようになっても、続くと思う。

カワイイ呪文は、けっこう、強力なのである。

ちなみに、長い付き合いの恋人に「私に逢えて、嬉しい?」と尋ねて、「お前、なに言ってんの」とかわされても、ひるんじゃダメよ。

「私は、もう何十回もあなたに逢ってるけど、逢うたびにすごく嬉しい。そのことを、一度ちゃんと伝えたかったから」

そう、真摯《しんし》に訴えよう。あなたのことを、古女房か母親のように雑に扱っている男も、ちょっとは胸をうたれるだろう。バカバカしいふりをしながらも、受け入れてくれたら第一歩だ。すぐに劇的に変わるわけじゃないけど、マンネリの関係が少しずつ変わってく。

本物の古女房だって、「もう少し、女として扱ってくれてもいいんじゃない？」とちょっとでも思っているのなら、試してみればいいと思う。男性脳は、何歳になってもことばに初心《うぶ》なので、絶対、効用はある。

ただ、たいていの古女房は、古亭主に女扱いされるのは面倒臭いと思っているみたいだけれどね。

4

ピュア＆フェミニン

爽やかさの上級魔法

さて、前述のカワイイ呪文、

「あなたは、私といっしょにいないときに、私を思うことがある？」

「いつも、思うよ」

は、ゆうべも使う羽目になった。ここのところ、私の大好きなひとのビジネスの憂いが深いのである。定番のやりとりだけでは、まだちょっと、上の空だった。

そこで、ちょっと趣向を変えて、斬新な質問を追加することにした。

「私を思い出したとき、あなたは爽《さわ》やかな気持ちになる？」

へ？　と彼は声をあげて、珍しく私を凝視した。

私と「爽やか」、あるいは、長年いっしょにいる中年のパートナーと「爽やか」は、あまりにもかけ離れたことばだったらしい。ま、それを狙《ねら》っての質問だったんだけどね。

「爽やか、じゃ、ないだろう」

と、さすがの反射神経も使えずに、彼がうめくように言う。この対話の着地点が見つからないから、少し不安なのだ。

「じゃあ、やさしい気持ちになる？」

助け舟を出したら、彼はふとやわらかな顔になって、うん、とうなずいた。

「温かい気持ち、だろうね」

対話の着地点が見えたのでほっとしたのか、彼がもう一言足してくれた。

男を包むひだ

爽やか、じゃ、ないだろう。

そう言って、彼が珍しく狼狽《ろうばい》したとき、私はどきりとした。彼のためらいには、ちょっと淫靡《いんび》な感じがあったのだ。

爽やかの反対魔法は、官能性なのである。さまざまな感性イメージのうち、心のもっとも表層にあるのが爽やかさであり、心のひだのもっとも奥に位置する、密《ひそ》やかな温かさが官能性なのだ。

ものごとの清濁を毅然《きぜん》とよりわける「シンプルさ」「清々しさ」の対極にあって、愛するひとのだらしなさや弱さ、不潔、不遜《ふそん》を、ふんわりと受け入れて包み込み、やがてそれらを氷解してしまう不思議ないのちの力が、官能性にはある。

心のひだの奥を想像してみてください。その湿った密やかな温かさは、まるで粘膜のようではありませんか？　心は臓器ではないのに、まるで体内に実存する、デリケートな場所のようである。

不思議なことに、私たちは、心の奥とからだの奥が、脳のどこかでリンクしているのだ。

つまりね、人類の男たちが、女のからだを求めるのは、生殖本能に基づく動物的な欲情だけではないのである。愛するひとの心のひだに包み込まれて、自分の弱さやだらしなさ、逆に強さゆえに踏みにじってきたものへの罪の意識も含め、すべてを許してもらったような、そんな深い安心感を彼らは得る。

男性脳は、不安定な機構を持っているから、女性よりずっと生きる不安を抱えているのだ、ということは、前にも書いた。その不安を癒《いや》す場所が、私たち女の中にあるのである。

本質的な不安が愛《いと》しい男たちの中にあって、その不安を本質的に癒す場所が、私たち女の中にある。男と女の性差の本質は、ここにあるのである。

私は男ではないし、それを扱う心理学者でもないが、脳の機構から考察するに、彼らがセックスに求めるものは、女よりずっと深いのだと言わざるをえない。魂と、心と、肉体のすべてで、彼らは、私たちの奥に迎え入れられるのを求めているのである。

女が、心のひだの奥と、肉体の奥を、切り離して考えているとしたら、あまりにももったいないと思う。

恋人とそういうときを重ねるのであれば、あなたは、心のひだでも彼を包み込むべきである。その瞬間、男は、あまりにも無防備だ。その透明な男性脳のことを考えると、なにもかもを肯定してあげてほしいと思う。彼の過去も未来も、言動も肉体も、捨ててきた夢も今から見る夢も、その存在のすべてを。

もちろん、テクニカルなことの不一致は、ちゃんと話し合っていいのである。まずは「あなたとこうなったことが、ほんとうにとても嬉しい」が、ことばだけでなく深く彼に伝わったら、「もっと、こうしてくれたら嬉しい」を伝えればいい。伝わりにくかったら、時間をかけて何度でも。一度、深い安心感を得た後の彼らは、そういうことに対して、すごく寛大で素直だもの。

閨《ねや》のことを話すのは私の美学に反するのだけど、一つだけ告白しよう。読者の方にとっても、魂といのちの問題である。私も隠している場合じゃないかもしれない。

私は、大好きなひとに、「一つになった、その瞬間、あなたはどんな気持ちなの?」と尋ねたことがあるのだ。

彼は、迷わず、「安心する」と答えた。「深い安心なのだ」と。

私は、「興奮じゃなくて?」と聞いてしまった。そんな瞬間に興奮してもらえないほど、私はもう魅力的じゃないのかしら、と、ちょっぴり悲しみを抱きながら。三十代の終わりの頃だった。

そのときの私は、彼の成熟についていけてなかったのだと思う。私たちの場合は、彼の魂の成熟度がとても高くて、私は、ずっと彼に導かれて歩いてきた。もちろん、肉体的なことだけではなくて。

問題は、彼が、「説明をしない」ということなのである。そのときも、「興奮、ではない」と言い切っただけなので、私は悲しさが先に立った。

もちろん、彼の「深い安心なのだ」は、総論として嬉しかったものの、その穏やかな悲しみは、ずっと私の中にあったのである。

実のところ、ゆうべ、彼が「爽やか、じゃ、ないだろう」と、狼狽するまで。

肉体から魂へ

彼の狼狽は、爽やかさ（心の表面）の対極にある、官能性（心のひだの奥）の位置を、しっかりと私に知らせてくれた。そして、心の奥の、不思議に肉感的な触感をも。

そうして、初めて私は、私たちの重ねてきた行為の深さを、思い知ったのである。もう数え切れないくらいの時間が私たちのあいだにあったのに。

その晩、私は、ほんとうの意味で、初めて、彼の魂を受け入れたような気がした。そのとき、私たちのあいだには、ちょっとした奇跡が起こったのだが、それはナイショ。

私は、このとき、四十四歳。長い付き合いのパートナーと、このことの階段を、いまさら上るとは思っていなかった。

もちろん、そんなことは、もうとっくに百も承知、という読者の方もたくさんいると思う。私は、晩生《おくて》で、鈍感なところがあるから。なのに、偉そうに文章にして、ごめんなさいね。

でも、やっぱり、書き残しておきたいと思うのだ。娘の世代の女たちに、知らせてあげたいもの。私には、娘がいないから、息子の恋人に伝えてあげたい。

大人の男は、この部分、先に成熟しても、ことばが足りないから、なかなか女にわかるように説明してはくれない。二十代の頃の動物的な発情期を過ぎて、彼らの社会的な責任が重くなると、男性脳の原初的な不安は、ある閾値《しきいち》（ものごとの様相が劇的に変わる臨界点）を超える。それは、ほとんど男たちに、普通にやってくる臨界点なのである。

これに連動するように、パートナーを、肉体で求める時期から心で求める時期へと変わる。そして、やがて、魂で求める時期へ。男性脳は、確実にステップアップしていく。

一方、女性のほうは、大方は、もう少し長く、肉体的なフェーズに留まっているように思う。パートナーの肉体的な働きかけを、自分の魅力の証明のように感じながら。

男と女の愛しい営みのそのとき、大人の男性脳の潜在意識で起こっているいのちの祈り。それを思うと、私はしばらく、涙を浮かべずにはいられないだろう。彼はきっと、「なにを深読みして、勝手にロマンティックに浸ってるの？」と言って、頭を撫《な》でてくれるにちがいない。いつもの深読みや妄想とはちがうのに。

でも、私たちのあいだでは、なにもことばにしなくてもいいだろう、と思っている。ことば以上のものが、私たちのあいだにひたひたと満ちてしまったから。

すべての男と女が、ただ、気づくだけで、この場所に来られる。それは、テクニカルなものが導いてくれるのとはまたちがう、ふくよかな場所なのである。

本物の爽やかさ

さて、心のひだの奥にたどり着くような大人の関係で、では、「爽やかさ」はもう無縁なのかというと、これがそうでもないのである。

生身のあなたは「爽やかさ」の強調を止めて奥行きにシフトしながら、大切なひとの幻想の「あなた」にだけ爽やかさを与えるという、高度な魔法がある。

爽やかさの本質は、清らかさである。爽やかさは、本来、清らかなひとの「残像」として、他人の心に残るもの。演出するものではないのである。

あなた自身が清らかさに満たされれば、大切なひとの幻想の「あなた」が爽やかになる。不思議なことのようだけれど、顕在脳と潜在脳のイメージ構造は、こうなっている。

すなわち、自分のあり方を、清らかに保つこと。

整えられた部屋に住み、心をかけた食事を摂《と》り、そばに置く本と音楽を吟味する。身に付けるものは、できるだけ素材のいいものを心がける。だらしない長電話はしない。ひとを揶揄《やゆ》する噂話には加わらない、そういうテレビ番組も見ない。

誰も見ていないプライベートな空間で、こんななんでもないことを積み重ねると、オーラの爽やかなひとになるのである。颯爽《さっそう》と歩かなくても、爽やかに微笑まなくても。

不思議なことだけど、私たちの潜在意識は、ヒトに降り積もる時間を感じるのである。それが、だらしなく自分勝手なのか、清々しいたたずまいの時間なのか、他人にも「わかる」。自分が、なぜか他人に軽んじられてしまう傾向があると思ったら、自分に降り積もる日常時間の質を考えてみよう。

でもね、他人に軽んじられることなんか、実はどうでもいい。ほんとうに怖いのは、自分自身の潜在意識が、日常の質を知っていることだ。質の低い暮らしをしていたら、自分自身が自分を見限るのである。いざというとき、自分を信じることができないから、踏ん張れない。大切なひとも信じきれないから、やがて疑心暗鬼の海に沈むことになる。

逃げの嘘をつかない、ズルをしない、他人を陥れない、裏切らない、安易に他人を見下さない、卑しい言動を垂れ流さない。

それらは、けっして社会道徳上のタブーじゃない。自分自身のためなのだ。自分の潜在意識が自分を見限らないように、人生後半の誇り高い自尊心のために、キープしなければならないことなのである。

脳の顕在意識（考える部分）でいくら自分を美化しても、脳の潜在意識（感じる部分）が、自分の程度を知っている。大人になって、自分を愛せるかどうかはここにかかってくる。

ちょっと、説教臭かったかしら。けれども、これは、脳の機構が教えてくれる人生譚《たん》である。教育心で諭《さと》しているつもりはさらさらないので、理解してほしい。

このように、内面の清々しさから立ちのぼる、潜在意識に直接届く爽やかさは、意図的なそれとちがって、行きすぎにはならない。効果が出るまで時間がかかるが、行きすぎて、幻想の「あなた」が、奥行きのない女に見られることはないのである。

そうして、甘やかな官能のあなたと、清らかな幻想の「あなた」が、心の表層から、心のひだの奥まで、彼の心すべてを支配するようになる。

平たく言えば、清らかなたたずまいの女が、自分にだけ鷹揚《おうよう》でしどけない、ということだ。合理化の魔法と併用すれば、「颯爽としたデキる女が、自分にだけ清らかさとしどけなさを見せてくれる」ということになる。こうなったら、大人の男は、この女からけっして離れられないだろう。

この清らかさのオーラと官能性の組み合わせは、大人の女の上級魔法である（官能の魔法については、後の章で述べる）。もっとも難易度が高いが、ぜひ会得してもらいたい。

5

癒し系美人

情緒の魔法

私のことを「保母さんみたいだ」と、仕事仲間の男たちが口をそろえて言ったことがある。私の大好きなひとも同席していて、大受けしながら、同意している。

そうかしら、と、私は首をかしげる。

私は、息子以外に、ほとんど母性を使わない。特に、なにごとも段取りし慣れている経営者の彼らといっしょのときには、別段リーダーシップをとる必要もないし、彼らの領域に踏み込むこともない。ましてや、幼児のようになんか扱ったことはないのである。

「私が、いつ、あなたたちに号令をかけたかしら?」と反論したら、「そういう意味じゃない。声だよ」と、私の大好きなひとが言う。

同席の男たち曰く、抑揚《よくよう》が独特で、おっとりしている。膝枕をして、本を読んでほしい。江戸川乱歩の少年小説なら、申し分ない。湯上がりで、蚊取り線香と天花《てんか》粉《ふん》の匂いがあったら、もっといい。転んで膝を打ったら、痛いところを撫《な》でながら、耳元でおまじないを言ってほしい。夏みかんも剝《む》いてほしい(?)。耳かきもお願いしたい(おバカさん)。

男たちは、次々に、勝手なことを言う。

それにしても、ずいぶんレトロな声だこと。私は、苦笑いをせずにはいられない。これでも、二十一世紀にキャリア・ウーマンと呼ばれて生きているのである。一応ね。彼らの言い分を並べたら、まるで、昭和初期の女ではないか。それも、小《お》津安二郎《づやすじろう》映画の登場人物のように、いそうでいない幻想の女だ。

「私の声は、そんなに鄙《ひな》びている？」

「そう、鄙びている、というのはいい方向だ。でも、もう少し、華《はな》があるよ」

最初に、保母さんみたいだ、と口火を切った仲間が言った。

鄙びた声

そうか、私の声には、情緒の魔法がかかっているのだ、と気づいた。それは、私の望むところではないし、意図的に仕掛けているわけではない。だが、意図的じゃないからこそ、抑制もできないのである。

「鄙びた」という表情は、素朴で、古く、野暮なイメージである。その反対表情は、「都会的、現代的」だ。

私は、信州・伊那谷《いなだに》の、おとぎ話の舞台のような村で生まれた。家は屋号で呼ばれ、家紋の付いた土蔵があった。家の二方を竹やぶが囲み、敷地を取り巻くように小川が流れていた。

向かいの家が乳牛を飼っていて、祖母が鍋を片手に私のための牛乳を取りにいくのだが、向かいの家とはいえ、田んぼの畦《あぜ》を三分は歩くのだった。ちなみに、東のお隣は徒歩五分。西へは、十分歩くと駅の貨物置き場があった。そこまでは延々田んぼで、人家はなかったような気がする。北は、ずうっと田畑と果樹園で、幼い私には「裏の家」は認識不能だったのである。

別に、大正時代の話じゃない。私は、昭和三十四年生まれである。半端じゃない田舎だったってことである。

ここで暮らす女たちは、やさしいことばを使った。

平家の落人《おちゅうど》伝説もある、長野県の伊那から南の地域は、いわゆる長野弁とはちがう独特の言語文化圏なのである。女たちは「ごめんないしょ」と言いながら、よその家を訪れる。迎えるほうは「おいでなんしょ」だ。祖母たちは、醤油《しょうゆ》を入れるような小皿のことを「おてしょ」と呼んでいた。たぶん、表記は「お手塩」である。「手塩」は、食事の際、銘々の盆に載せられる個人用の調味塩のことで、私自身が、平安時代の女房ことばの中に見つけた。

このように、日々のことばが、テレビから流れるものとはずいぶんとちがっていた。抑揚は、『まんが日本昔ばなし』の語り口のように、おっとりと鄙びていた。

もうすっかり忘れていた、学童期以前のことである。標準語をすっきりしゃべっていたつもりだったのに、四十年も前の暮らしの匂いが、私のイントネーションからこぼれてしまうのだ。驚いた。

微かなためらい

この無駄な情緒感のおかげで、私は、女たちの場を仕切れない。

東京育ちの女たちの繰り出す、すっきりした都会的なイントネーションの会話に、私はたいていうまく口をはさめないのである。と、同時に、いったん口をはさむと、会話の流れを淀《よど》ませてしまうことになる。

なんだか、縄跳びの輪の中に、入ろうとして、なかなか入れない。入ったら入ったで、今度は出られない。そんな感じなのだ。

できるだけ、流れに沿えるようにがんばって、私は二十年の東京暮らしの中で、けっこうな早口になってきていた。なのに、冒頭の男たちの感想である。鄙びた女、と呼ばれてしまう。

私の欠点は、実は、発話の瞬間である。ここに、微妙なためらいの「間《ま》」ができてしまうのである。その後、いくら早口にして急いでも、最初のためらいの効果は、どうしても大きいようだ。

そのことを証明するような実験があった。もう十年以上前になると思うが、NHKの研究結果である。

当時、アナウンサーが昔にくらべて早口になった、ニュースが聞き取れない、という高齢の視聴者の指摘がときにあったそうだ。そこで、高齢化社会を見据えて、技術研究所が、ニュースのアナウンサーの音声がゆっくり聞こえる音声変換装置というのを、試作したのである。

音声をゆっくりさせたい、とはいえ、全体をスローに引き伸ばしてしまったら、画像の再生時間内に音声が収まらない。どうしたかというと、発話の最初の立ち上がりだけを、引き伸ばしてやったのである。

たとえば、「次のニュースです。三重県津市の」を、「次のニュースです。〈一拍休み〉み〜え〜けん、つ・しの」とやった後、続きは普通に流し、語尾をほんの少し急がせる。放送時間内に、通常の音声と同じだけの情報量が入っている。

不思議なことだが、それだけで、全体がゆっくりしゃべっているように聞こえるのである。

ヒトは、他人のしゃべる内容を聞き取って理解するとき、脳の中の前頭葉《ぜんとうよう》という場所に、いったん、聞き取った単語（正確には形態素《けいたいそ》という、文章の構成要素）を積み上げている。これらを組み合わせて、意味を組み立てているのだ。

そのうちの最初の二、三の単語で、この会話の方向性を知る。「次の会議ですが」と言われれば、日程調整だな、とわかって、続く音声から日時と場所を聞き取る態勢に入るのである。したがって、この最初の二〜三語の聞き取りに失敗してしまうと、後がなし崩しにわからなくなってしまうのである。

加えて、ニュースの場合は、最初に地名や社名など、固有名詞がくることが多い。ここを聞き落とすと、さっぱり意味を成さないのが大半だ。

一方、前頭葉で形態素の短期記憶をキープしているのは、たんぱく質である。たんぱく質の粘土にぽんとスタンプを押すようなイメージ、と思えばまちがいない。高齢になって、たんぱく質が固くなってくると、スタンプをちょっとゆっくり押さないと、記憶が形成されない。

というわけで、中年以降に入ってくると、テレビ番組の中では、最初にニュースについていけなくなるのである。ほどなく、若者たちの早口にもついていけなくなる。

ちなみにこの傾向は、私の印象では、女性より男性のほうが大きいような気がする。男たちなんか、二十代のうちから、女たちのおしゃべりについてこれないもんね。あ。これは、たんぱく質の老化の問題じゃないね、きっと。

情緒のベール

さて、話を戻そう。

田舎者の私は、発話の最初に、微《かす》かなためらいの「間」ができてしまうのである。続いて、最初の二語ほどが間延びする。まさに、NHKの「ニュースがゆっくり聞こえる音声変換装置」のように。こうして、発言全体が間延びしているように聞こえてしまう。単位時間内の情報量はけっこう多いほうだと思うのだが、都会の女たちの軽やかなおしゃべりの中では、「鈍臭《どんくさ》い妹は、黙っていなさい」の存在になる。

たいていは、ためらいの隙間《すきま》にするりと入り込んで、「伊保子さんは、こう言いたいのよね」と、優しくリードしてくれる友人がいて、私はすっかりおんぶに抱っこになる。キャリア・ウーマンの会合だけじゃない、PTAでも、親戚付き合いでも、まったく一緒だ。

ま、発言の内容自体も、鈍臭いのだろう、とは思うんだけどね。有名ブランドや憧れの高級レストラン、最近流行のお菓子やファッション、そういう基本的な会話アイテムをほとんど知らないのだ。ＰＴＡなら、塾や受験の情報、学校の噂話。みんな、いつどこで収集しているの？

さて、女友達が鈍臭いと呼ぶためらい感の効果を、私の大好きなひとは、「まったり」と表現する。

以前、息子の友人から、あるアニメの登場人物に似ていると言われたことがあった。十二歳以下の少年たちから、私が似ていると言われるのは、たいてい妖怪か怪獣の類《たぐい》なのだが、その登場人物は、珍しくキャリア・ウーマンだったのだ。嬉しくて、さっそく私の大好きなひとに報告したら、彼が「じゃあ、そのキャリア・ウーマンは、まったり美人？　らしくないキャラだね」と、言うのだ。「美人」は、口がすべったみたいで、本人も吹き出していたので、気にも留めないことにしたが、まったり？

たしかにそうなのだ。キャリア・ウーマンらしくない、浮き世ばなれしたキャラクターだった。声は、鈴木京香《すずききょうか》さん、この方は、発話の最初にためらい感のできる女優さんで、若い頃から、少し鄙びた、大人っぽい感じがある。トレンディードラマの女子大生やOLのような、若々しい現代っ子の役を演じたのを見た記憶がない。私が最初に見たのは、『君の名は』という、昭和二十年代が舞台のレトロなドラマだった。

同じように、少し鼻にかかった甘い声で、情緒感のあるヴィジュアルの黒木瞳《くろきひとみ》さんは、基本的に、発語の最初にためらいの間ができない。なので、都会派の役も、爽《さわ》やかなお母さん役も、はまり役でこなしている。

ちなみに、私の大好きなひとにとっては、「まったり」は、こだわりの要素らしいのだ。「まったり?」と言ったきり、私がいろいろ考えて黙っていたら、「誉めたのだよ。まったり美人」とわざわざ繰り返していたもの。

「私のまったりは、どこから来るの?」と尋ねたら、「声だろう、やっぱり」と、私の大好きなひとが答えた。

そして、今回の仕事仲間の男たちの評、鄙びた女、である。

蚊取り線香と天花粉の匂いの中で、「怪人二十面相」を読んで聴かせてほしいだなんて。保母さんやお母さんというよりは、住み込みの姉《ねえ》やのような、「どこかの家にはいるかもしれないけれど、我が家にはいない」浮き世ばなれしたキャラじゃないの。

膝枕されたい女なのに、素朴な田舎者。艶《つや》っぽい、愛人のイメージじゃないなんて、ちょっと悔しい。

どれもこれも、発話の最初の一秒にも満たない、ためらい感に端を発している。音声の研究者が見つけ出した、このゆったりイメージを作り出す、ためらい感の「間」は、実は、現実の世界で、女たちの見えぐあいを大きく左右している。

これは、女の周りを情緒のベールでおおう、情緒の魔法なのだ。

まったりキャラの居心地

さてさて、情緒感を、利点と見るか、欠点と見るか。

私自身の感想から言えば、人生の最初の三十年間は、あきらかに損をしていた。華やかなプレゼンテーションの場では、たいてい客先に、私を鼻であしらう都会派の女性たちがいた。

彼女たちには、ほんっと、まったく相手にされていなかった。私の顔も名前も覚えてくれないのである。まれに相手にされるのは、嫌われて攻撃されるときだ。

広告代理店、商社、金融業界の男たちも同じだ。この分野の一流企業には、発話の入り口で、ためらうような男はいない。頭のいい男たちなら、すぐにこちらのペースを理解してくれるが、発話の最初に、がさつな割り込みを入れられるケースも少なくなかった。

ま、よくしたもので、私はコンピュータ・メーカーの研究部門にいた。エンジニアの多くは、若いうちから、女のおしゃべりを解析できない男たちだ。私となら、ようやっと話が通じてほっとするのである。

ここでは、ほんとうに可愛がってもらった。今思えば、ずいぶんとわがままを言いながら、周り中から、技術を教えてもらったり、手を貸してもらったりしていた。この場を借りてお礼を言います（つたって、この本、絶対に読んでないだろうなあ。本屋でも、電気通信に関する本しか見ないひとたちだもん）。

そうは言いながら、私を「鈍臭い」と叱りながら、しょうがないわね、と手を引っぱってくれる女たちもいた。私は、男女雇用機会均等法以前の世代だ。この世代で活躍している女たちは、みな姉御肌でパワフルだったからね。

ということは、得をしていたということかしらん。ぅ～ん。憧れのスタイルとは、ぜんぜんちがったんだけどね。


大人になってからは、この「間」が許されるようになった。

コンサルタントとして会議の席に着けば、私の発話の最初の一秒の空白は、野暮ったさでなく、重々しさに感じてもらえるのだから面白い。もちろん、私に発言権が渡ったら、少なくとも発話するまでは誰も口をはさまないので、安心して話し出せる。私の中の、素朴なままの「私」が、そのたびにほっとする。

誰も口をはさむはずのない、私自身の講演でだって、冒頭に誰にも邪魔されずにしゃべりだせたときは、毎回、心底ほっとするのである。よっぽど、人生前半の、発話の最初の「間」に、いろんなひとが入ってきたのだろう。自分のことながら、可笑《おか》しくなってしまう。

都会的なしゃべり方のまま中年期の女実業家になり、そのうえ美人だったりすると、たいていは近寄りがたい印象になるようだが、私は、そのどちらでもないおかげで、恐れられることはほとんどない。このため、コンサルタントに入れば、現場のいろんな相談事（トラブルの予兆）が拾えるのである。

けれど、一方、パーティーで華になることはない。若いお嬢さんたちに取り囲まれることもない。男たちから、ちやほやされることもない。話題の中心になっても、せいぜい「保母さんみたいだ」止まりなのである。

私自身は、そもそもパーティーが好きじゃないし、不特定多数の男たちにちやほやされても（されたことはないけど、たぶん）嬉しくはないので、このポジションはとても気に入っている。

ＰＴＡで、「デキの悪い妹」にされるのも、けっこう居心地がいいものである。

私は、頭の回転の早い女友達に指図されるのは、大好きなんだもの。優秀な女性脳というのは、場を仕切るのがほんとうにうまい。「老舗《しにせ》の女将《おかみ》」という機能が、長く受け継がれていく理由がよくわかる。

癒しの時空

そして、プライベートな大人の関係。

ここでは、このためらい感の「間」は、けっこう効くと思うな。まったり、鄙びた、情緒感。母性を使わず、女が男のために癒しの時空を作るとしたら、この魔法しかない。

少なくとも、私の大好きなひとは、私のここに惚れていると思う。下手すると、これだけだ。

彼は、ことば少なに私のそばにいて、ときに幼い娘のように慈《いつく》しんでくれて、自分自身も少年のように解ける。

どんなカッコイイ美人が颯爽《さっそう》とやってきても、彼女が都会風の流暢《りゅうちょう》なしゃべり方をするかぎり、彼の私に対する温かい眼差《まなざ》しは、ゆらぐことがない。これは、実証済みなのである。

ためらい感がある、田舎育ちの女の子の場合、ちょっと危ない。あきらかに注意を奪われているのがわかる。が、こっちのほうが、年をとって、遥《はる》かに鄙びているもんね。結局は、大丈夫なのである（と思う）。

コツは、ほんとうに簡単だ。

発話の最初の、ほんの少しのためらい、戸惑い、はにかみ、である。時間にして一秒足らず。その後の三語までを、少しゆっくり発音する。後は、早口でもＯＫ。いつものように、どうぞ。

なお、不機嫌とまちがわれないように、相手の目をちゃんと見ていたほうがいい。伝えたいことがあるような目をするのを忘れないで。気持ちが先に届いて、ことばが後から付いてくるイメージだと思う。

女優の黒木瞳さんの演技は、とても参考になると思う。爽やかなキャリア・ウーマンや、お母さん役の彼女には情緒の魔法がないのだけれど、愛人役となると別である。言いたいことが、くちびるより先に、瞳からこぼれおちる。

なんて、美しいのだろう、と私は、テレビの前で溜《た》め息をついてしまう。あふれる情緒のオーラが、なんとも胸をうつもの。こんな瞳を持っていたら、私だって、私の大好きなひとに、適当にあしらわれることもないのだろうに。同じはにかみだって、牡丹《ぼたん》とぺんぺん草、くらいにちがう。ふう。


もしも、あなたが、都会派で颯爽と生きていて、女たちの場を仕切り、男たちにちやほやされて仕事も順調、夜はパーティーの華で、趣味のサークルでも人気者だったとしたら、しばらくはこの魔法を使う必要がないかもしれない。

情緒の反対表情である「都会的、現代的」を強調することは、都会の競争原理の中で勝ち抜いていくには、不可欠なのである。

都会の大きなプロジェクトを担当するキャリア・ウーマンに、ためらいの空白はタブーだ。瞬時に判断して、誰より先に発話すべきだ。そうでないと、部下は不安になり、上司からは信頼してもらえない。

このタイプの女性は、男たちからも、そのダンディぶりに惚れられているので、恋人の前でも、キレのよい判断力を休ませない。さっさと店を決めて、段取りをとのえ、会話も流暢、仕事に関するいくつものアイデアとアドバイスをくれて、美術館や映画の情報までぬかりない。ゲームだって、マニアックに得意だったりする。そのうえ、たとえ、口論になっても、感情が後を引かない。

ベッドの関係へも、その気なら、自分からさっと持ち込む。その気がないなら、夜の巷《ちまた》に長居をしない。小股の切れ上がった、いい女である。男なら、誰だって夢中になるだろう。私だって、惚れる。

なので、この王道を行く女性たちには、情緒の魔法、別名もたつきの魔法を、すすめやしない。

けれど、パワーが弱ってくる中年以降に、ふと不安になったら、この情緒の魔法を使ってみるといい。年をとって鄙びても、あなたのそばにいてくれる男たちが判別できる。

表舞台でスターを張るには気力が要《い》る。裏の個室で、大好きなひとに、甘やかされて暮らすのも、けっこういいものよ。

使い分けられるのなら、両方、手に入れられる。健闘を祈ります。

6

大人の女

気品の魔法

私の大好きなひとに、出来たての本をプレゼントした。

私たちふたりの実際の会話だけで、すべての章が成り立っている本である。普通なら、感激して、ねぎらいと愛のことばの一つも言うのがスジなのに、もちろん、このひとにそんなことは期待できない。

「そう。派手な本だな」

案の定、目の前に置かれた本を、手に取りもせずに、そんな口を利《き》く。

このことば、私の脳の中では、「キレイな本だね。キレがあるデザインだし」と、勝手に解釈している。

私は最近、彼専用のロマンス・インタプリタ（翻訳機）を、脳の中に内蔵しているのだ。たぶん、この翻訳結果に、ほとんど誤りはないと思う。

このひとの感想なんか、聞かなくてもわかっている。最初の一ヵ月は、読んでないふりをする。二ヵ月目に、私にせっつかれて、いやいや斜めに読んだふりをして、感想を尋ねられると、「甘すぎる砂糖菓子みたい、うへぇ、だ」と、舌を出すのだ。

十中八九、ほんとうにそうなるのだから可笑《おか》しくなってしまう。残りの可能性としては、本をどこかにしまい忘れたふりをする。ここまでは、過去に経験済みだ。今回は、新機軸の茶化し方が登場するかもしれないけれど。

でもね、もしも彼が「感動したよ。あなたを大切にしなければいけないと、しみじみ思った」なんて言った日には、私は、逆に不安になってしまう。ガンの末期宣告を受けたか、もうすぐ私を捨てることにしたのか、そのどちらかしかないもの。

そうは言いながら、私の大好きなひとは、けっこう私の本を読んでいたりもするのだ。

いつだったか、「これが哲学書？　黒川伊保子の本のほうが、よっぽどましだよな」なんて、誰かの本をこき下ろしていた。待ってよ、と私はむっとしてさえぎる。こき下ろしの最低ラインに使わないで。

「そうじゃなくて。あなたの本は、正《まさ》しく哲学書だよ、って言いたかったんだ」

と、珍しく真摯《しんし》に言い返してきた。

「よく言うわ、ちゃんと読みもしないで。私のは、育児日記と、恋愛論よ」

「いや。あなたもそのつもりで書いているはずだ」

へえ、ちゃんと読んでいるんだわ、と、私は少し驚いた。

書店の哲学書のコーナーに置けばいい、と彼が続けたので、私は大笑いをしてしまった。そんな色気のないコーナー、ごめんである。

魂の成熟

彼は、プレゼントした本を開きもせずに、ワインに気を取られている。天邪鬼《あまのじゃく》を気取っている。おバカさんな男性脳はこの際無視して、私は「出版おめでとう」と自分で言って、勝手に乾杯の音頭を取る。出版は、いつもほんとうに嬉しいので、心から笑みがこぼれた。彼はつられて、素直にグラスを上げた。それから、ほんとうによかったね、という顔でうなずく。

表情だけじゃなくて、ほんとうはことばで言ってほしいのよね、と、ちらりと思ったが、彼があんまり優しい顔をするので、許してあげることにした。

さて、こうして始まった夜なのに、席を立つとき、彼は、私の本をテーブルに置き去りにしたのである。

ほんの少し、胸が痛かった。置き去りにされるのが、私自身のような気がして。気を取り直して、「あの本、もらってやってくださらない?」と声をかけたら、「そこまで言うのなら、もらってやろうか」だそうだ。

なぁんだ。私にもう一回、「お願い」を言わせたかったわけね。あんまり可笑しくて、怒る真似をする気にもならなかった。

とびきりの笑顔で「ありがとう」と言ったら、彼は、肩透かしを喰ったような、少し困った顔をした。私がふくれて、からんでくると思ったのだ。この手のいたずら心は、こちらが怒ってあげなきゃ、ただの意地悪になってしまうものね。

でもね、残念ながら、私も、いつまでも手のかかるお嬢さんじゃないのである。すねて、ふくれて、「いい子だから機嫌を直しなさい」と頭を撫《な》でてもらう時代は過ぎた。……なあんて、偉そうに言っているが、実は、三ヵ月くらい前までは、ちゃんと、いちいちからんでいたのである。なので、彼も戸惑うわけだ。

彼が、後味の悪そうな顔をしているので、ちょっとかわいそうになって、こう声をかけた。

「私ね、あなたの気持ちを、いちいち気にしないことにしたの」

「ほう」

と、彼は、嬉しそうに笑う。

私は、エレベータのボタンを押す彼のかたわらで、少し背筋を伸ばして立った。そう、バレリーナのような気持ちで。なんとはなしに、そんな気分になったのだ。

彼は、エレベータのボタンを押しながら、少し眩《まぶ》しそうな顔をした。そうして、

「それでは、きみに、マチュアーということばをあげよう」

と、宣言したのだ。

マチュアーとは、「成熟した」、あるいは「円熟した」「分別のある」という意味である。大人に捧げられる、最高級の形容詞だ。私は、このことば、とても気に入ったので、

「なにを、調子に乗ってるんだか」

と、たしなめてあげた。

彼は、いつもは自分から先に乗るエレベータに、私を先に乗せてくれた。とても自然なエスコートだった。私たちのあいだで、なにかがほんの少し、いいほうへ変わったような気がする。確実に、この瞬間から。

彼が日本語を使わなかったのには、案外、深い意味がある。別に気取っているわけじゃないのである。彼は、この場合の誉めことばを、日本語の中に見つけられなかったのだ。とっさにマチュアーが浮かんだのだが、対訳の「成熟」と置き換えるのに違和感があったのにちがいない。

マチュアー（mature）ということばの指し示すものの本質は、実は、気品なのである。辞書上の訳語である「成熟した」「円熟した」「分別のある」の、真ん中にあるものだ。

マチュアーを単に「成熟」という二文字に置き換えただけでは、イメージが官能のほうへすべってしまう。これでは、方向性がまったくちがう。

マチュアーとは、誰にも、あるいはなににも依存せずに、自分の心の平静を保てるようになること、である。

ただし、経済的な依存とは、直接的には関係ない。小学生であっても、早くから平常心の整え方を知り、気品を備えている子が、ときにいる。

気品は、マチュアーに成熟したものだけが持つことのできる、静かなオーラだ。

本物の持つ力

気品をまとうことは、三十代半ば頃からの、私の人生のメインテーマだった。タフなエンジニアから、子持ちのキャリア・ウーマンに、そしてベンチャー企業の経営陣へとステップアップしていたその頃の私に、もっとも欠けていたのは、気品だったからだ。

私の母は、田舎の専業主婦なのだが、大粒の本真珠のような気品があるのである。銀座の真ん中で食事をしていても、周囲に見劣りがしない。

この気品がどこから来るのか、あまりにも身近で私にはわからない。けれど、一つだけ見つけた事実があった。母は、贋物《にせもの》や二流品を絶対に身に付けないのである。宝石しかり、バッグしかり、着物しかり。

教師の妻という、そこそこの経済力を、なんとかやりくりして三十代の母が持っていたバッグは、当時にしても何十万の、希少革の一点ものばかりだった。自転車に乗せる買い物バッグでさえ本革の袋物で、それに傷がつかないようにナイロンのバッグをかぶせているのは見たことがあるが、単独でビニール製のバッグなんか持っているのを見たことはない。

母のような気品を身に付けたい。そこで、私は、三十代後半以降、買う数は減らしても本物を手に入れるように心がけてきた。そのことは、たしかに、穏やかだけれど一定の効果を私にもたらしてくれたと思う。

たとえば、プラスティックの模造品でなく、本真珠のネックレスを身に付ける。ちょっと見には変わらなくても、ひんやりと冷たく、たしかな存在感で鎖骨の上にのってくれる真珠たちの存在は、その日の私に、静謐《せいひつ》な満足感をくれるのだ。

あるいは、私のために、ていねいに仕立てられたお洋服。しっかりと、なのに優しく身体を包んでくれる。一日中、誰かがエスコートしてくれているような上質な時間をもらうのだ。

その理由を解説しようか。

女性脳は、「時間」に感応する脳なのである。時間をかけ、手をかけて、大切にされることを切望している。と同時に、モノにかけられた手間隙《てまひま》の時間を感じる脳なのである。

手のかけられた食べ物、ていねいに作られた服やバッグ、靴や家具。私たちの脳は、それらの「蓄積時間」を感じるのだ。もちろん自然の中で育まれるものは、その時間も含まれる。

つまりね、私たち女の潜在脳には、工場のラインを三分間で抜けてきたプラスティックなのか、三年ものの本真珠なのか、そのちがいがわかるのである。たとえ、本人(顕在脳)が、わからなくても。何億年もの時の結晶、ダイヤモンドは、宇宙時間を女に与える。その魅力は、輝きでも透明感でもなく、「時間」なのだ。

そして、もっとも重要なのはここ。私たちの女性脳は、大切に育まれた本物を身に付けることで、自分自身が大切にされているのと同じ満足感を得られるのである（！）。驚いた？

降り積もる時間

確かに「時間をかけて」大切にされることは、女にとって、とても大事だ。私たちの心の安寧《あんねい》は、ここにしかない、と言っても過言ではない。

たとえば、結婚して、夫が、派手な愛のことばをくれなくても、何年も生活費をきちんと運んでくれたとする。それはそれで「時間をかけて」大切にされた満足感につながる。結婚三年目で、あんなに腹が立った男、七年目には、子どもが高校に入ったら絶対に離婚しようと考えていた男が、そうこうして十五年も経つと、不思議に愛《いと》しく思えてくるのである。

よくよく観察してみれば、男のほうは、まったく変わっていない。何度文句を言っても、ひとの話は上の空だし、約束は反故《ほご》にするし、ひとを喰ったような口を利く。なのにね。

これは、女性脳の「蓄積時間を感じる」働きのおかげである。

一方、私たちの潜在脳は、身に付けるものや、食べるもの、身の周りに置くものにかけられた時間を、自分にかけられた時間のように感応するのである。

誰かに大切にされなくても、大切に作られたものに囲まれて暮らせば、大切にされている充実感が周りから満ちてくる、ってことだ。もちろん、どっちも持っていれば最強である。

というわけで、実は、最近付き合い始めた男の派手な愛のことばより、デートで入ったイタリアン・レストランのスロー・フードのほうが、女を満たしていたりするのだ。ふふふ。

科学が本物以上に本物らしい宝石を作り出す時代に、女性市場が、あえて本物にこだわっているというのは、宝石を他人に見せびらかすためでなく、自分のために買うのだということの証明でもある。

本物を身に付ける、ということは、その本物にかけられた時間をいただく、ということである。なお、この手間隙、自分でかけても効果はいっしょだ。必ずしも、他人のそれである必要はない。

食べ物もいっしょである。手のかかったものを食べよう。栄養学以前の問題で、ファースト・フードでは、いい女になれないのだ。

さて、女も四十にもなれば、人生そのものの時間が、降り積もってくる。今までとなんら変わらなくても、四十になると、穏やかな幸福感に満ちてくるのである。どの女の潜在脳でも、歳を重ねれば重ねるほど、ベースの幸福感が強くなる。個人差はあってもね。

四十歳のある日、私にも、幸福感が降りてきた。四十代の初めには、若い頃に望んでいたキャリアを持ち、本物も何点か身に付けて、子育ても一段落し、円熟前期の生活スタイルに入ったのである。もちろん、マンションのローンはまだまだ長いけれど、私の心に、ハングリーな要素、欠落した要素は、もう、どこにもなかったような気がする。

なのに。

気品のオーラは、私にはやってこなかった。

気品の魔法は、本物たちの「蓄積時間」をふんだんにもらっても、起こすことはできなかった。たくさんの素敵なひとたちに大切にされても、まだまだ、奇跡は起こらない。

もちろん、それ以外にも、身のこなしを優雅に品よくし、声も常に落ち着いたアルトに調整し、ひとの噂話には加わらず、公式のマナーにもある程度通じるように、なんていう努力も、(よく忘れるけれど)気を付けて重ねてはいたのである。

たぶん、他人からは、それまでの私よりは、大人びて見えてはいたと思う。私から、満ち足りた充実感を感じるとおっしゃってくださる方もいた。

けれど、私の知っている気品の魔法は、かからなかったのである。

二週間ほど前の、私の大好きなひとの「マチュアー」宣言の直前まで。

コート論争

あのへそ曲がりの横着もの、形式上のマナーをもっとも嫌う男が、自然に、エレベータに先に乗せて、私がボタンに触れなくてもいいようにエスコートしてくれた。これは、はっきり言って、奇跡なのである。

たとえば、もうずっと私たちのあいだで交わされている「コート論争」がある。

上質のレストランでは、食事が終わって店を出るとき、女性のコートは男性に手渡される。女性にコートを着せる「権利」があるのは、彼女をエスコートしている男だけだからだ。エスコート役がいなければ、ホスト役の男性がこれを「義務」として果たさなければならない。

私の友人で、ヨーロッパで仕事をしている芸術家などは、年配の未亡人の多い晩《ばん》餐会《さんかい》では、メイン・ディッシュが片付けられる頃になると、誰から先にコートを着せるかが気になり始めて、ちっともデザートの味がわからない、と言う。

コートを着せる順番も大事で、貴賓客から着せなければならない。肩書のない女性の場合、最高齢者がいちばんの貴賓客である。骨格がしっかりしていて、しわの深い欧米人のおばあちゃまは、日本人の私たちには、ちょっと年齢がわかりにくいからね。けれど、まちがえば、最上客になりそこねた最高齢のおばあちゃまもむっとするし、まちがえられたおばあちゃまも、別の意味でむっとする。悩むわけである。

ここまで大切なコートなのだ。日本とはいえ、フレンチの一流店の玄関で、男にコートが渡ったら、四の五の言わずに女に着せてやらなきゃ、格好が悪い。私の大好きなひとは、何度口をすっぱくして言っても、渡されたコートをそのまま私に手渡すのである。五体満足の女に、なぜコートを着せてやらなきゃならない、とかうそぶいて。

何度か言い争いをした結果、私たちは、コートの季節にはレストランには行かないことにした。ちゃんこ鍋でも食べていれば、コート論争はしなくて済むもんね。フレンチやイタリアンで冬に美味《おい》しいものは、女同士で食べにいく。ちゃんこはちゃんこで、美味しいし。

こんなふうだから、もちろん、エレベータには私より先に乗る、階段は先に上がる。椅子には先に座るし、荷物は持たない、レディ・ファーストをわざと無視するのである。

けどね、不思議なことに、魚の骨だけは取ってくれる。私が不器用なので、見ていてはらはらするのだろう。ま、そこから推測するに、私がおばあさんになって、膝《ひざ》でも悪くなれば、エスコートしてくれるのだろうとは思うんだけどね。

彼が、そんな奇跡のようなエスコートをしてくれた翌日、私は、出張で飛行機に乗った。通路側の席の私が、後からやってきたビジネスマンのために席を立ったら、彼が、眩しそうに半歩引いて「恐れ入ります」と言うのである。

ビジネスマン御用達《ごようたし》の朝の便では、たいていは、無表情のまま「失礼」と言うだけだ。躾《しつけ》のいい男性なら、にっこりして「すみません」。上質の紳士なら、「ありがとう」かな。

恐れ入ります、は、初めてだった。それも、まるで、なにか光栄なことでもしてもらったみたいな表情で。

あれれ、気品の魔法が効いちゃった、と私は思った。別に効かせるつもりはなかったのに、まぁ、静電気みたいなものである。勢いで効いちゃったのだろう。

許すと自由になれる

さて、私の気品の魔法、なぜ効いたか、わかりましたか。

先ほどの「マチュアー」の解説文を、繰り返そう。

マチュアーとは、誰にも、あるいはなににも依存せずに、自分の心の平静を保てるようになること、である。

気品は、マチュアーに成熟したものだけが持つことのできる、静かなオーラだ。


章の冒頭にも書いたが、私は、ここ三ヵ月ほど、私の大好きなひと専用の、ロマンス・インタプリタ（翻訳機）を脳の中に内蔵しているのだ。

そのきっかけは、私自身の一冊の本だった。私は、男性脳と女性脳についての差異について語り、両者の誤解を解く本を、三ヵ月前に書いたのである。

大人の女たちの多くが、彼女の愛しい男性脳に愛されているにもかかわらず、そのことを知らない。男たちは、鈍感で不器用だし、女性脳にわかるような誠意の表し方が想像もつかないからである。

そのことをていねいに考察して一冊の本にまとめていたら、私の大好きなひとの「無礼」も、深い愛情と照れの副産物だってことが、私自身、科学的に納得できたのだ。

私の中には、自然と、ロマンス・インタプリタが内蔵された。彼の、不器用な、たま～のサービスを増幅し、無礼を愛情に変える装置だ。そうなると、彼のしてくれないことのなにもかもが、いっこうに気にならなくなったのである。

女たちの悩みの多くは、「してくれない」である。メールをくれない、電話をくれない、デートの企画を立ててくれない、こちらの気持ちをわかってくれない、約束を覚えていてくれない、話を最後まで聞いてくれない。

思えば、そんなことの一つ一つで、私は、彼の愛情を量っていたのである。今は、そんなことで愛情は量らない。

女の愛情は日々ゆらぐが、男の愛情はゆるがない。低値安定で、ずっと変わらないのである。男は、一度深い仲になった女の再評価を、日々してなんかいないのである。女が十分おきにしているそれを、一生のうち、三度くらいしかしないんじゃないかな。

男が、ずっと淡々と繰り返しているものがあれば、女は安心していていい。毎日の帰宅か、毎月の生活費か、折々のデートやメール。それが続いているかぎり、彼らは、私たちを愛しているのだ。

それは、『ロミオとジュリエット』を読んで涙した、乙女の日に想像した「愛」とはずいぶんちがうけれど、男性脳がいのちをかけている「愛」には、まちがいがないのである。

このことを心底、納得したとき、私は、私の大好きなひとに依存せずに、生きられるようになったのである。正確には、私の大好きなひととの愛の「行為やことば」に依存せずに、生きられるようになったのだ。

そんな「現象」に一喜一憂せずに、穏やかな嬉しさにいつも満ちて、魂で彼のかたわらにいる。こうなると、彼の意地悪も、無礼も、寄越さないメールや電話も、約束を覚えていないのも、なにもかもが嬉しいのだ。おバカさんね、って笑えてしまう。不思議だけれど。

彼に小手先の優しさを要求しない代わりに、私も、小手先のお節介はもうしない。遠出した彼のメールが間遠でも、下手な心配はしない。しっかりした大人の男を、遠方の私が心配したってしょうがない。外の食事だって、なにを食べてるのか気にしてもしようがない。「野菜を食べるのよ」って言ったって聞いちゃいないんだものね。必要なら、彼の脳が食べさせてくれるだろう。身体が欲すれば、どうしても食べたくなるものだ。

小言も言わない、世話も焼かない、ただ、穏やかに嬉しそうにそばにいる。頼まれたことはちゃんと処理してあげる。と言ったって、大人の男の頼み事は意外に少ない。そうやって、彼の無礼をすべて、「不器用な愛」だと思って、三ヵ月過ごしてみてください。あなたにも、気品のオーラが、絶対にやってくる。

怒ると卑屈になる

同じことを、職場や社会にも適応できるのだ。

朝のラッシュアワーの無神経なサラリーマンたち、歩道を並んで歩く学生たち、朝のコンビニの間抜けな店員、横柄《おうへい》な駅員、報告の要領の悪い部下。

細かいことに気がつくオトナの女性脳としては、ほんっと腹が立ちますね。こっちは、ナイーブな女性脳を奮《ふる》い立たせて必死にがんばってるんだよ、みんな、もっと、ちゃんとしてーって、叫びたくなるだろう。

けれど、顕在脳が「こうあるべき」と腹を立てると、潜在脳は、そうしてもらえない自分を卑下するのだ。腹を立てれば立てるほど、あなたは深層心理で卑屈になっていくのである。

こういう無礼なひとたちは、別にあなたに意地悪しようと思って無礼なのではないのである。みんな、けっこう頭の中では一生懸命なのに、うまく振る舞えないのだ（実は、この世にサボっている脳はないのである。脳はサボらない器官だから）。

歩道を並んで歩く迷惑高校生だって、大学受験のこと、死ぬほど悩んでいるかもしれない。みんな、完璧じゃないのに、一生懸命なんだなぁ。と思えば、恋人の無礼といっしょで、自分の潜在意識を攻撃するほどの怒りではなくなる。

そんな気持ちで、「ちょっと空けてもらえるかしら?」と声をかければ、傍若無人の高校生も、意外に素直に空けてくれるよ。顕在脳で怒って、潜在脳で卑屈になって、「ちょっとぉ」と不機嫌な声をかけるから、「おばさんはうるさいよな」なんて、見下されちゃうのである。

他人があなたを見下す前に、自分の潜在脳が先に卑下しているのである。怒りは、潜在脳に、卑屈な影を落とす。気をつけようね。

あなたが周囲を許せば、あなたの潜在脳が、ほどけて嬉しさに満ちる。

恋人に愚痴《ぐち》やいらいらを押し付けなくなって、常に穏やかな嬉しさに満ちていれば、彼の潜在脳が、あなたを敬愛する。

気品は、その関係が成立した瞬間に、あなたから匂い立つ、美しいオーラなのである。

気品は、大人の女の最終兵器である。どんな窮地にあっても、この魔法を使えば、あなたの女っぷりは、けっしてそこなわれない。

カワイクナイ呪文＊自分の気持ちをほどくために

若返りの「爽やかさの魔法」の章の最後のエピソード。私の大好きなひとの、爽やかな笑顔に締め出されて、幼女のように泣いてしまった晩のことで、もう一つ、思い出したことがある。

大人たちが静かにグラスを傾けるバーで、私が声を荒らげて、挙げ句、泣き出してしまったとき。

私が泣き止むまで、彼は私のかたわらで、やわらかな気配のまま、じっとしていてくれた。理由を聞かず、おろおろすることもなく、下手ななぐさめもいっさいしなかった。私がやっと落ち着いて、「ごめんなさい」と小さな声であやまったら、「……お帰り。待ってたよ」と、温かな声で迎えてくれたのだ。

ほんのひとかけらのネガティブな感情も、彼にはなかった。うっとうしいとか、面倒臭いとか、どうしよう、とかの。まるで、長い旅から帰ってきた家族を迎えるような、安寧《あんねい》な「待ってたよ」だったのである。

私が、今のように彼を深く信頼するようになったのは、もしかすると、この瞬間だったかもしれない。


翌日のメールのやりとりを、私は、忘れられない。私の人生でも、とびきりの恋のイベントになったのだもの。調子にのって、彼のメール、抜粋しちゃおうかしら。読者のみなさん、辟易《へきえき》しちゃうかなあ。

とても、ごつごつした読みにくいメールなのだが、全文引用でないと、伝わらないニュアンスがある。彼の不器用な男性脳ぶりが、よくわかる。

私の詫《わ》び状に返ってきたのは、こんなメッセージである。

「あなたを傷つけるのは当然、私の本意ではないわけだから、そういう意味で悲しい。ほんとうに、ごめんね。

愚直に真摯《しんし》であるほど、Confliction は発生するから、こういうことになる。

でも、それは自分勝手かもしれないけれど、私なりの真剣さで、思いの深さだと思っている。で、それをちゃんと受け止めてくれることができるのは、あなただけだと思っている（少なくとも、他にはいないから）。

私は愚直だから、そんなことでしか気持ちを表せない。あなたには、迷惑をかけるけどね（ごめんね）」

原文ママです。照れちゃうな。ちなみに、Confliction は〈思想の衝突〉ですね。今の彼からは、想像もつかない文章である。今だったら、きっと、「はいはい。バカなことを言ってないで、お仕事しなさい」って返ってくるだけだもんね。

お詫びの後に、こんな甘い二往復もあった。

「あなたに一つだけ、お願いがあるの。ああいうときは、私の手を握《にぎ》っていてほしい」

「うん、わかった。そもそも気が利《き》かないやつだからね」

「あとね、一つ質問。私が emotion control《エモーション・コントロール》 に失敗してシェルターに入っちゃったとき、あなたも途方に暮れていたの？　私が私の世界で途方に暮れていたとき、あなたも途方に暮れた？

だったら、ひとりにしてごめんなさいね」

「だから、言ったでしょ？　『待ってたよ』って。じ～っと、ちゃんと、しっかり、待ってたよ。

こちらこそ、ひとりにして、ごめんね」

ははは、もう遥《はる》か昔のこんなやりとりが、活字になる日が来ようとは、彼は思いもよらないだろう。あらためて読むと、ふたりとも若かったなあ。


さて、メール文中のemotion controlは、私が、このとき作った造語で、情緒・感情の制御、のつもり。

「emotion controlに失敗してシェルターに入っちゃったとき」の部分、最初は「感情的になって依怙地《いこじ》になっちゃったとき」と打ったのだ。だけど、これだと、メール全体がじっとり湿ってしまって、なんだか私の美学に反した。それに、なんだか、気持ちが素直に「ごめんなさい」へいかない。自分が、卑屈になっちゃったみたいで。

そこで、わざと技術用語みたいな造語を使ったのである。これなら、からりとして、気持ちよく「ごめんなさい」が言えた。

emotion controlは、この後しばらく、私たちの役に立ってくれた。「寂しい」「悲しい」「ひどい」「苦しい」、そんな言い出しにくい負の感情を伝えなければならないとき、「emotion controlのために言わせてもらうけど」と言うと、なんだか素直に言えたのだ。

言わずに鬱積《うっせき》すると卑屈になってしまうこういう感情も、初期症状のときに素直に言ってしまうと、なんでもないことが多い。

ま、自分の心への、〝開けゴマ〟の呪文ですね。

「ここでちゃんと言っておけば、後で大事にならない。だから、あえて言うわね。でもこれ、あくまでも私のためじゃなくて、あなたのためなのよ」という、大義名分の前置きなのである。

それにしても、ここまで前振りしないと「悲しい」の一言が言えないなんて、私も、ずいぶん、お嬢さんだったものだ。

これはね、男にとっては、たぶんカワイクナイ呪文だけど、女が感情を素直に語るためには、とても役に立つと思う。

私と私の大好きなひとは、共に理系なので、カワイクナイ呪文には、技術用語や学術用語をよく使った。でも、なにも技術用語にかぎらない。要は日常を離れることばならよいわけで、サッカーやゴルフの用語でも、ゲームのファンクション名でも、ハリー・ポッターの魔法名でも、料理方法でも、囲碁の布石《ふせき》の打ち方でも、ふたりだけに通じる可愛いカワイクナイ呪文を探せばいいのである。

私は、やがて、こんな呪文を使わなくても、ネガティブな感情の告白を、素直にできるようになった。ほどなく、彼の誠実さが信じられるようになって、無神経なできごとは、「しようがないわね、不器用で可愛いひと」と心の中でつぶやけば済むようになってしまった。

このことば、だから、もう長く（永くのほうが似合うくらい）使っていなかった。「爽やかさの魔法」のエピソードに続いて、このメールのやりとりを思い出し、emotion controlの文字列を眺めていたら、若くて殻をかぶっていた頃の自分が愛《いと》しくなってしまったのだ。この世には、この殻をかぶっている女性が、まだたくさんいるのだろうなあ。そう思って、この項を書くことにしたのである。寂しいことばを呑みこむ女の子たち、みんなまとめて抱きしめてあげたい。ホントだよ。

というわけで、自分のがちがちの顕在意識をほどく、屁理屈の大義名分＝カワイクナイ呪文も一つ用意しよう。自分のためにね。

7

可愛いひと

依存の魔法

さて、ここまでの六つの魔法は、「潜在脳に働きかけて」男を虜《とりこ》にする方法、だった。

では、直接、顕在脳に働きかける手段はないの？　そのほうが手っ取り早そうだ、というご意見もあるだろう。

あるのである。それも、非常に簡単な方法だ。そのうえ、その場合、魔法は、たった一つで済むのである。

それは、依存の魔法、すなわち、「経済的にも、精神的にも、ひたすら依存しまくること」である。

この魔法を徹底して使う方は、これと、人生の最終魔法「官能の魔法」だけで世界が完結する。他の魔法は、暇なときのお遊びに使ってください。

逆に、この魔法を、ちょこっとだけ、有効に使うという手もある。ここまでの六つの魔法を体得した方も、この章をぜひお読みくださいね。

責務遂行エンジン

男性脳が、顕在脳でやっている処理は、実に単純だ。目の前の事象を認識して、自分の責務を探し出し、それを遂行《すいこう》する。嫌々やっているのではない。そういう性《さが》なのである。止まらない責務遂行エンジンだと思えばいい。

ご飯を食べているときも、車の運転をしているときも、新聞を読んでいるときも、彼らは責務遂行として、それらをこなしているのである。その証拠に、恋人や女房の話に、基本的に上の空でしょ？　責務遂行をしていないときは、昼寝をしているか、テレビを見ているかだ。

ジャングルやサバンナで家族を養うためには、この能力は必要不可欠だし、現代社会のビジネス・シーンでも同様である。

邪魔になるのは、こちらがただ話を聞いてもらいたいときだ。たとえば、職場で起こった理不尽なできごとへの愚痴《ぐち》を言うとき。私たちは、ドラマティックに話して聞かせて、いっしょに憂えた後、同情してもらうか、さもなくば、笑い飛ばしてもらおうとしているじゃない？　なのに、話のほんのさわりの部分で、「それは君も悪いよな」とか、評価分析という、よけいな責務の遂行をしてくれる。

むかっ腹が立つけれど、それくらい、責務を欲する脳なのである。

「あなただけが頼り」

その、責務遂行をしたがる脳に、わかりやすい責務を与えてやれば、その責務が終わらないかぎり、彼らの脳は飽きないのである。

すなわち、人生どっぷりの依存である。

例えば、彼女には経済力がない。今後、経済力を生み出す体力も気力もない。なんでもない世の中の仕組みに疎《うと》くて、電化製品なんかちんぷんかんぷんである。小学生の息子にまでかばわれて、中学生の娘には相手にされない。心配性で、外出は嫌い。けれど、スポンサー（夫か母親）付きのお買い物は大好き。

とは言うものの、病弱というわけでもない。呼吸は穏やかで、意外に病気はしない。子どもは、ちゃんとほしがるし、産めば好きなほう。食事は、そこそこ上手に作る。字はとてもきれい。新聞も本もちゃんと読めるし、読書好きなので、知的な会話にはついていける。

口癖は、「パパに死なれたら、どうしていいかわからない。お願いだから、元気でいてね」。

ここまで、完璧に演出できたら、夫が彼女を捨てる日は、絶対にこない。

実は、こういう美人妻を、私は何人か知っている(なぜか、美人以外のこのタイプを見たことがない)。彼女たちは、素敵だ。依存しながら、なんら自尊心を失っていないのである。すなわち、まったく卑屈にならないのである。

だって、毎朝満員電車に乗ったら死んでしまうもの～と、彼女たちは、優雅に笑う。「私には、なんにもできないの。パパだけが頼り」

そうして、日中、優雅に本を読み、花を丹精《たんせい》して、たまには美術館にも行く。ワインにも詳しかったりする。なので、食卓の会話は、意外に知的で優雅なのである。あくせく働く私をたしなめもせず、さりとて羨《うらや》ましがりもせず、さらりと本を読んでくれて、とても誉めてくれたりもする。なにせ、余裕があるのだ。

「パパ」たちの意見を聞いてみると、同僚のキャリア・ウーマンたちより、よっぽと視野が広くてエレガントだと思っているようである（男たちは、もちろん、そんなふうに女房を誉めやしないけどね。断片的な会話を拾ってつなげると、こうなる）。

依存が卑屈にならない。そういうひとたちは素敵だと思う。

誇り高き依存

昔は、社会構造が、ほとんどの女性たちを、この仕組みの中に入れてくれていた。「あなただけが頼り」の構図で、正妻もお妾《めかけ》さんも、みんなぶら下がっていたのである。

責務があれば放り出せないのが、悲しい（？）男性脳の性《さが》である。健康な男性脳の持ち主たちは、ひたすら両方に責務を果たして生きていたのにちがいない。

もちろん、ほとんどの庶民はお妾さんなんか持てないし、持てる男の妻であっても、勝ち負けに頓着《とんちゃく》しない女であれば、この構造の中でも十分に穏やかに暮らせた。男性脳と女性脳にとって、それなりに幸せな時代が長く続いたのである。

一方、二十一世紀の女性たちが、依存の魔法、正確には「自尊心を失わない依存の魔法」を使えるかというと、これはおおいに疑問である。

世間が、専業主婦を下に見ているものね。これは、絶対におかしいのに。

そもそも、女の親たちが、娘の肩書や活躍をほしがっているので、女たちも、物心ついた頃から競争原理の中にいる。テレビやマスコミも、専業主婦よりキャリア・ウーマンをかっこよく描く。

兄弟姉妹の中で特別に甘やかされた美人、つまり、そもそも競争なんかしなくても、十分にいい思いをし続けてきた女でなければ、この競争原理の呪縛《じゅばく》からは、解き放たれないのではないかしらん。

でもね、美人だから依存が許されるのではない。自尊心を失わないから、依存が美しいのである。美人で賢く、経済的に恵まれて育てば、卑屈な思いをしたことがないから、自尊心を失いにくいというだけだ。

平均的な評価として「美人」と呼ばれない女性であっても、自尊心を保てれば、ほんとうは、この魔法が使える。

自尊心の磨き方

さて、もうお気づきだと思うが、この魔法以前の六つの魔法、すなわち「男の潜在脳に美しい理想像を結ばせるための方法論」は、実は、私たちの潜在脳にも自尊心を築く方法論なのである。

自尊心、あるいはプライド。これらのことばは、ときにわがままの代名詞のように使われるが、まったくちがう。

自尊心は、周囲にちやほやされなくても、肩書がなくても、お金がなくても、卑屈にならない、魂の凛々《りり》しさだ。誰かに認めてもらわなくても、自分の人生を、温かな気持ちで肯定できる才能、と言ってもいい。

自尊心は、大人の女の、最後の難関にして、最高の素養である。

誰かが、常に温かく、やわらかい気持ちで、絶対的にあなたを認めてくれているとしよう。そのひとは、ひとときもあなたのことを忘れず、慈《いつく》しみ、光を当て続けてくれる。そのひとは、どんなことがあろうともあなたを見捨てない。あなたが、ときに怠惰《たいだ》であっても、穏やかに許してくれる。あなたが努力すれば、見逃さず、ちゃんと見守っていてくれる。そうして、あなたに訪れた喜びや成果は、ほんの針の先ほどの嫉妬《しっと》もなく、共に喜び、抱きしめてくれるのである。

そんな誰かが、一生そばにいてくれたら、あなたはどんなにか安寧《あんねい》な気持ちになるだろう。その誰かが、自分であったら、最強である。自尊心とは、そういうことだ。

その誰かを、恋人に求める女たちは危ない。相手も、必死に生きている生身の人間である。気持ちがゆれるのは当たり前なので、それを当てにしている女は、常に不安が付きまとい、魂の飢餓《きが》状態に入ってしまうのである。その誰かをいっそ神に求めたのが、宗教なのだろう。

さて、そうは言っても、「今日から自分を愛そう」と言われたって、簡単にできるものではない。よくある自分育てマニュアルのように、そのために上質のおしゃれをして、教養を身に付けよう、というのも、まちがっている。きれいな自分だから、上等の自分だから。そういう理由があるから愛する、のでは、自尊心ではないからだ。

そのような潜在意識ではなく、潜在意識が、あなたを愛するようにならなくては、あなたの潜在脳が、あなた自身を優しく見守っている。それこそが、自尊心の源なのだもの。

まずは、自尊心のことはいったん忘れて、先の六つの魔法を使ってみてください。

三ヵ月も経てば、あなたの中に、美しい自尊心が真珠のように照り輝いているのを発見するだろう。「男の潜在脳に、美しい理想像を結ばせる魔法」は、同時に「女の潜在脳にも、美しい自画像を結ばせる」のである。

その自画像は、常にやわらかくあなた自身を照らしてくれる。自尊心の誕生である。

真珠貝の中に、すべらかな肌の、清純にして高尚な乙女が立っている、ボッティチェリの「ヴィーナス誕生」を思い出してください。あなたの自画像は、きっと、そんな姿をしている。

あなたのヴィーナスの鏡、すなわち愛するひとの潜在脳に映し出された「あなた」は、あなたの潜在脳に存在する、真実のあなたなのである。

プチ依存のススメ

さて、自尊心が誕生した後の話。

あなた自身の気持ちがゆったりほどけたら、恋人との関係を甘くするために、ときに依存の魔法を使ってみませんか。

ささいなことでいいのである。あなたが混乱してしまって、彼にしか解決できないような定番のなにかを「作れば」いいのである。

家電の配線でもいい、法律問題でもいい。彼にしか作れない料理が、あなたの風邪を治す唯一の特効薬、とかね。そんな定義でもいい。

私は、ごくたまに頭が真っ白になって、もう一文字も書けない、と思い詰めることがある。書き下ろしの本の原稿では、あまりないのだけれど（たぶん編集者がかまってくれるから）、月刊誌の長期連載のときは（編集者も慣れて声をかけてくれないので）、ほとんど毎月そうなっていた。

そんなときは、「ぴんち」とメールを打つと、「よしよし」と返ってくることになっている。それだけで、十枚はゆうに書けるんだから、カワイイもんである。

私の大好きなひととは、責務がはっきりしているこのメールだけには、速攻で応えてくれる。惚れた男と末永く歩いてゆくためには、やっぱり、「わかりやすい、繰り返しの、終わりのない責務」を与えないとね。

というわけで、私の執筆業は、私の大好きなひとに、どっぷり依存している。編集者のみなさま、ほんとうにごめんなさい。

8

最後の女

官能の魔法

いつだったかしら。咽頭炎《いんとうえん》をこじらせて、長く体調が悪かったことがあった。

こんなときにかぎって仕事は山積みで、息子の学芸会の衣装は夜なべで作らなきゃならないはめになる。そのうえ、なぜか会議も目白押しで、化粧がのらないのに厚塗りをしてやっとしのぐことになる。そうこうするうちに、虫歯じゃないのに歯も痛んで、ものもらいまでできて、抗生物質なんか飲んでいた。

そうして、ますます体調がぼろぼろになって、声がかすれて、肌も髪もぱさぱさになって、鏡に映る顔が十歳も老《ふ》けて見えるような晩だった。

「こんなときは、美味《おい》しいものを食べよう」

私の大好きなひとが、そう言って、私を連れ出してくれた。

けれど、向き合って食事をしているうちに、なんだか悲しくなって箸を止めてしまった。だって、世の中の女性が、みんな私より輝いて見えたのだもの。

「こんなひどい女、連れてて嫌じゃない？」

そう言った私自身が、私といるのが嫌だったのである。

私の大好きなひとは、おやおやと笑って、ほんとはね、と声をひそめた。

「やつれた女は、嫌いじゃないんだ」

「やつれた女」願望

この小さな「魔法」はよく効いた。

その一秒前まで世の中の誰よりも惨《みじ》めな女だったのに、世の中でもっとも大切にされている女になったような気がした。その晩はよく食べてよく寝て、翌朝はほんの少し、肌が明るさを取り戻したのである。

ところが、女心というのは、我ながら厄介《やっかい》だ。

今度は、実体のない「やつれた、ひっそりとした女」に、心をからめ取られてしまったのである。

私は、元来、元気な女だ。貧血も冷え性も便秘もない。朝起きたらすぐ絶好調だし、いつだって手足の先まで温かいので、よく言われるのが、「女の手は、もっと冷たいものじゃないの？」。これは、けっこうコンプレックスである。

モデルサイズじゃないけれど、ハイヒールを履けば百七十センチを超える。髪はゆるやかな癖毛なので、ロングヘアーを放っておくと、うねるようなウエーブになる。全体に、骨太でしっかり。フィギュア自体も、ひっそり、とは、ほど遠い。

エンジニアだったせいか、正面からモノを見据える癖があるし、きっぱりと結論からモノを言う癖もついている。

あ〜、一日でいいからなってみたい。骨細で色白で、まなざしが頼りなくて、手を握ると冷たくて、朝は少し物憂げな女《ひと》。文脈が不確かで、なにを言いたいのかよくわからない物言いで、カーディガンを、腕を通さず肩にかけて似合う女《ひと》。男だったら、胸がきゅんとなるだろう。

せめて声を密《ひそ》やかにして、口数を少なくしてみようとすると、「疲れてる？」「なにか、気に入らないことでも？」と聞かれる。ひっそりではなく、不機嫌に見えるのだそうだ。息子なんか、「ママ、ごめんね。おいら、なにかした？」と先回りしてあやまってくれる。

どうしたら、ひっそりした、楚々《そそ》とした女になれるのかしら。

この命題は、一年以上ものあいだ、私の心に棘《とげ》のように刺さっていた。

私といっしょにいて機嫌よさそうにしていても、私の大好きなひとは、もっとひっそりとした女がいいと思っているのかもしれない。私は、そう考えるようになってしまったのだ。

そういえば彼は、身体が虚弱で自意識が強い、自家製「悲劇のヒロイン」タイプの女性に、変に優しいのである。たしかに彼女たちは、自分の思いが通らないとき、とてもやつれて見える。このタイプに優しくすると危ないよ、と何度言っても、彼は失敗する。「彼女は、かわいそうなのだよ」と言うのだ。身体が弱いし、生い立ちも恵まれていない。彼女のせいじゃないのに、学歴も職場の地位も家庭も、彼女の望んだようにならないのだよ、と。

そうかしら、と、私は反論する。三十過ぎて、被害者意識はおかしいわ。人生は、望んだほうへ滑り出すものよ。そうならなかったら、自分のせい。望みが歪《ゆが》んでいるか、望み方が足りないか、よ。彼女は、真剣にちゃんと、なにかを望んでいるのかしら？　そもそも、自分がなにを望んでいるのか、わからないのじゃない？

「世の中には、大人の被害者もいるのだ。あなたには、わからないのだよ」

あなたにはわからない、は、扉を閉める呪文だ。いったんこれを口にしたら、彼は、それ以上の議論を私に許さない。

私もそれ以上はなにも言わない。その後も蒸し返さないのが、私の美学だ。結果、彼は、自家製「悲劇のヒロイン」に、憧れられて、ビジネスの関係なのに「私のもの」扱いされて、困惑するのである。

あれは、同情だと思っていたけれど、性癖なわけ？　そう考えると、彼の品位さえ疑いたくなる。

とはいえ、ここまで来ると、私も自分の愚考に気づく。ひとりで回って、挙げ句、大切なひとの品位まで疑うなんて、バカじゃないの、と自分をたしなめるのだが、やっぱり、この棘はなかなか抜けなかった。

その棘が抜けたのは、一年半ほど経った日のことだ。

個性を受け入れる

話の発端は、まるで色気のないＰＴＡのことだった。

息子の小学校では、三月の初めに、六年生から五年生に鼓笛隊をバトンタッチする儀式がある。楽曲を演奏しながら、楽器を一つずつ手渡していくのだ。楽器を受け取った五年生は、隊に加わって演奏を始める。最初は全員六年生だった鼓笛隊が、全員五年生に替わるのである。その初々しい五年生マーチで、先の六年生マーチの力強さが浮き彫りになる。六年生の半分以上が、中学受験を勝ち抜いてもいる。たった一歳のちがいで、少年少女たちは見ちがえるほどたくましいのである。

最後に、次の主指揮になる五年生の女の子がひざまずいて、現在の主指揮から赤いベレー帽と指揮バトンを受け取る頃には、お母さんたちは涙、涙である。卒業式より泣けるかもしれない。もちろん、下手な映画より、ずっと心を洗われる。

五年生の息子が、わりかし華やかな小太鼓を担当することになったので、私は、この受け渡し式を何日も前からとても楽しみにしていた。

その朝、息子があっさり言い放ったのである。

「ママは目立つから、地味な服で来てね。それから、必ず、後ろの席に座ること」

一年生の授業参観のとき、立ち上がるようにして手を振ってくれた息子が、五年経つとこうなる。次の五年先が、恐くて想像できない母である。

息子の指示どおり、私は、ビジネススーツを黒いセーターとグレーのスカートに着替えて駆けつけた。目立たないように開式の十五分前に体育館に入って、おとなしく二列目に座ったのである。

なのに、息子の感想はこうだった。

「ママが目立つわけがわかったよ。ママの前にいた成美ちゃんのママより、顔が大きいんだもの。いい？　今度は三列目に座ってね」

とほほ、である。ちなみに、学年三十人に満たない、都会の過疎地のこの小学校では、保護者席に三列目はない。

あのさぁ、自分のママだから、目立つような気がするんじゃない？　と、混ぜ返してみたら、息子の親友の少年が、息子の隣でしっかり首を横に振っていた。おいおい。

この話を、私の大好きなひとにしてみたのだ。「結局、私が目立つのは、顔が大きいせいらしいよ。フェースラインを隠すようなショートヘアにしてみようかしら」

そうしたら、彼は、「顔の大きいせいじゃないよ」と、にっこり笑うのだ。「もちろん、服装のせいでも、ヘアスタイルのせいでもない」

「じゃあ、私はどうしたらいいの？」

私は、ちょっと目くじらを立てた。だって、この命題は、一年以上も私を苦しめている棘なんだもの。私は、どうしたら、ひっそりするの？

「どうもしなくていい。あなたのそれは、あなたそのものなんだから」

「私のそれ、って、なに？」

豊饒《ほうじょう》というか……、と、彼はつぶやいた。

「私はそれが嫌なの。あなたは、やつれた女がいい、って言ったじゃない。ひっそりした女には惹《ひ》かれるとも言ったよ。私は、そうなりたい」

「そんな女は、好きにならない」

きっぱりと言った彼に、私は、思考が止まってしまった。へっ、と、おかしな声を出したかもしれない。

そういう風情《ふぜい》に惹かれることはある。けど、好きにはならない。あるいは、好きなひとの、たまのそういう風情は嫌いじゃない、ということなのだ。そう、彼は言った。

「あなたは、私が好きなの？」

「もちろん、好きだよ」

あ〜、びっくりした。そういうことだったのか。一年半も悩んでしまったよ。中年のパートナーから、今さら好きなのかと確認された彼も、しっかり驚いていた。長くカップルをやっていると驚くことがある。あ、そうじゃなくて、私が言いたかったのは、自分を愛することの難しさだ。

かくも小さな棘で、自尊心はゆらぐのである。

私は、脳科学も認識論も感性工学も言語学も学んで、人間周辺のさまざまな科学を広く見つめてきた。ひととひとが情緒を交感する仕組みを探り、自尊心の立て方も知っている。会話のすれちがいの機構もちゃんと、客観的に分析できる。なのに、この体《てい》たらくである。我ながら、女心の健気《けなげ》さに驚く。

意外性のマジック

さて、彼は、豊饒、と私を評した。「太ってるってこと？」と聞いたら、「そんなこと言ってないよ」と笑う。なんとも、私は腑《ふ》に落ちない。誉められているのかしら。だって、豊饒と、やつれた女。あまりにも対極である。

あ、そうか！　ここまで来て、私は、やっと気がついたのである。なあんだ、官能のセオリーじゃない。

そう、対極の二つの表情、つまり意外性は、官能性を匂い立たせるための常套《じょうとう》手段なのである。そんなこと、ちゃんと知っていたはずなのに、自分の色恋となると、ここまでおバカさんになるのかしら。まったく。

官能性は、ふとした瞬間に立ちのぼる、靄《もや》のような不確かな表情である。この、胸を甘く疼《うず》かせる靄には、こうやれば立ちのぼる、という不動のセオリーはない。それは、その場の関係性によって生じるもの、ある意味、混乱や破綻《はたん》によって生じるものなのである。

抽象論だと難しいので、具体的な例をあげよう。一気に下世話な例で申し訳ないけど、ミニスカートで太ももが見えても別にどうってことないのに、着物でふくらはぎが見えたら、どきりとするでしょう。あれは、常態の破綻で生じる、官能性の靄のせいである。

毅然《きぜん》としたダンディ・レディが気弱な顔を見せるとか、逆に楚々とした女が激烈に怒るとかも同様だ。

軽薄だと思っていた男が哲学書を読んでいたり、無骨だと思っていた男が書をたしなんでいたり、ラガーマンの指が意外に繊細だったり。こちらは、女たちをどきりとさせるよね。

私にとって、もっとも官能的なシーンは、私の大好きなひとがネクタイを緩める瞬間なのである。私の大好きなひとは、モノを大切に扱う男だ。タフなメカでさえ、茶道具のように扱う。躾《しつけ》もよいのだろうけれど、生来そういう癖なのだと思う。なのに、ネクタイの結び目を壊すときだけは、意外に乱暴なのだ。

ここには、二つの破綻が重なる。ネクタイの美しい結び目が壊されるのと、彼の優美な動作の流れが破綻するのと。見かけるたびに、ほんとうに胸が痛くなるくらい官能的なのである。

そうそう、彼は、朝があまり弱いひとなので、ごく稀《まれ》に早起きをされたりすると、それだけでどきりとすることもある。朝から潑剌《はつらつ》としていられたりすると、なんだか胸が熱くなる。官能に関係なさそうなことなのに、これがそうでもないから不思議だ。五百回に一回くらいの稀さだからなのだろう。

官能性は、なにも人間にだけ立ちのぼるものではない。掃き清められた庭石に、はらりと落ちた花びらの二つ三つ。雑然とした古家なのに、神棚だけは清々しく整えられている下町の民家。

私の祖母が丹精《たんせい》していた野菜畑の一隅に、いつからか株を増やした山吹の花も、幼い私には、官能の原風景だった。はらはらと散る濃い黄色の花びらが、整然と並ぶ野菜たちに対して、あまりにしどけなかったから。

何度も言うけど、ここまでわかっていて、どうして気づかなかったのかしら。豊饒と呼ぶひとが、やつれて心細げだと、官能の靄が立ちのぼる。当たり前である。

私の大好きなひとは、自身が堂々たる押し出しの男だし、パートナーの女性にも、ある種の威厳を望むようなところがある。

そのメインテーマである存在感に対して、官能のふたが開く逆要素は、楚々とした密やかさなのにちがいない。おおげさに言えば、やつれた女、なのだ。

理工学系の彼は、日頃、楚々とした密やかな女なんて目にすることはないので、見れば、どきりとする。振り返って見るくらいのことはする。けれど、それは、逆要素のイメージを確かめるだけのこと。ひとりの人間として向き合う対象ではないってことなのだ。

というわけで、私の一年半の心の棘は、なんだったのでしょうね。幻のジェラシーだったわけで、なんとも情けない。

いのちにふれる瞬間

さて、メインの表情に、逆の表情が加わってできるほころび、そのほころびの周囲にできる靄。これが官能である。

このほころびは、心のひだを垣間見せる隙間なのだ。その中に、手を差し込めば、ほころびの主の心のひだに触れることができる。ほころび周辺の靄は、それを知らせているのである。

実はこの靄、私たちの潜在脳が先にそのことを察知して、顕在脳にそれを知らせている。脳にとって、他者の「心のひだに触れる」ことは、それほど一大事だということだ。なぜ、脳は、このことに、そんなに重きを置いているのだろうか。

官能は、肉体的な欲情につながるので、生殖のために? 言わずもがな、生殖は、生物の第一の使命である。

それもあるだろうが、それだけでは語り尽くしていないと思う。官能には、セクシャルの要素もあるけれど、それだけじゃないのだもの。野菜畑の山吹に、子どもが感じるものでもあるのである。もちろん、あらゆる芸術が官能と共にある。

いのち、ということばに、いちばん近いところにあるイメージだと、今のところ直感にすぎないが、私は思っている。

「爽やかさの上級魔法」の章で触れたように、官能の瞬間の男性脳は、すでに、そこにいのちをさらしている。傷ついたら生死にかかわる、脳の原初的な不安を無防備にさらすのだ。大人の男たちの、ほんとうの官能の瞬間は、ね。

このことは、動物的に欲情して、その果てに精子を放出する、という肉体的なイベントとはまた別のことである。その肉体的なイベントを何千回も経験しても、官能を知らない男性脳もある。逆に、たった一枚の絵、たった一フレーズの音楽にそれを感じる、幼い脳もある。

私たちの女性脳が、そこで、どのようにいのちをさらしているのか、私にはまだわからない。けれど、その瞬間から、私たちは、新しいいのちを育むことがあるのだもの。やはり、「いのち」というキーワードが、そこには歴然と存在する。

官能といのちにかかわる脳の機能について解説するのには、もう少し時間をください。私もまだ、その旅の途上なので。

　このような、いのちの根幹に触れるような表現効果は、あたらおろそかに扱ってはいけない。

　官能の魔法は、どうか、いのちをあげてもいいひとにだけ、使ってください。心のひだの奥では、是か非かの選別機構が働かない。ここへ包み込んだ相手は、相手のかたちのまま許容されることになる。

　したがって、時間と気力の要《い》る営みである。だから、生涯でほんの何人かしか、ここには招き入れることができない。

　そうして、互いの心のひだに、互いを招き入れあった者たちは、二度と離れ離れにならない。肉体はどう位置しようとも、この世にどちらかの脳が残っているかぎり、そっと寄り添って生きることになる。

　そんな大事な魔法に、不動のセオリーがないのは残念だが、これは意図的に仕掛けられる魔法ではないのである。あなたが前向きな女なら、心底へこたれたとき、あなたが論理的な女なら、混乱してどうしていいかわからないとき、逆にとっ散らかった女なら、なぜか頭がすっきり理路整然としたとき。ほころびができて、官能の靄が立ちのぼる。

そのいのちがけのほころびの瞬間に居合わせて、あなたの官能にからめとられた男なら、それが運命の男なのである。

その昔、女が、夫と決めた男にだけ名を告げた時代、「名を教える」ということがすでに日常のほころび、官能の魔法だった。今では、運命の瞬間を待たなければならない。現代女性は、なにもかもオープンになってしまったせいで、官能を紡《つむ》ぐのがたいへんなのよね。

運命のふたり

官能の魔法は、終わりの魔法でもある。

心のひだを重ねて、永遠に寄り添う相手を手に入れてしまったら、他にはなにも必要ないからだ。

心の入り口で、ものごとの清濁を選《よ》りわけて、人格の表面に澄んだ膜を作る「爽《さわ》やかさ」の魔法とは反対魔法になるが、「爽やかさ」へ戻る必要性は生じないのである。

私は、私の大好きなひととの「爽やかさ」に翻弄《ほんろう》された頃の、切なく甘やかな日々を、ときに懐かしく思い出すことがあるけれど、そこに戻りたいとはまったく思わない。天使が現れて、「人生の好きな瞬間に戻してあげよう」と言われても、一日たりとも過去へ戻る気はないのである。

官能の魔法は、男にとっても、生涯に一度、使うかどうかの大魔法だと思う。私の大好きなひとが、ときに私に見せてくれる、ほころびの場所。そこから垣間見える透明な魂は、ほんの少し悲しみの色をしている。とても、男性脳らしい静けさだ。

きっと、この世の大人の女たちのほとんどが、私と同じものを見ていると思うし、よくあることだとは思うけど、私にとっては、生涯一度のことだろう。彼が、私を、たぶん無二と感じていのちをさらしてくれる以上、私も、彼をいのちがけで見つめていようと思うのだ。

なぁんてね、きっと、若いひとたちから見たら、会話の枯れた倦怠期《けんたいき》の中年カップルにしか見えないとは思うけど。

もちろん、息子は、とうに裸の魂を母親の私にさらしているし（これから隠していくのだろうけれど）、老いてきた父は、私に無防備にいのちを預けてくれるようになった。大人の女の心のひだには、恋人以外のいのちもやってくるのである。そこには、育児とか介護なんて、恩着せがましいことばを使うのはとても申し訳ないような、崇高な信頼が存在している。

こうやって、私は、今日も女として生きている。日に日に満ちてゆく、嬉しい予感に満ちた、十三番目の月のような気分なのである。

最近気づいたんだけど、たぶん、女という月は、死ぬまで満ちてゆくのだろう。若い頃は、三十五歳ぐらいに満月で、後は、寂しく欠けていくと思っていたのに。

若いひとたちには、ぜひ安心してもらいたい。大人になるというのは、なんとも素敵なことなのだ。

エピローグ——恋の旅の終わりに

この世には、美しい魔法がある。
私が、初めてそう感じたのは、いつだっただろうか。
この世を牛耳《ぎゅうじ》っている、慈《いつく》しみ深く、穏やかな光のようななにか。
意味とは別に、人々の間にあふれてくる、糖蜜のような空気感。

同じことばを他の誰かが言ってもそんな変化は起こらないのに、あるひとが口にしたら、糖蜜色の幸福な光が部屋中を満たす。大切なひとのことばには、そんな魔法がかかっているでしょう?
幼い日の私は、そういうことばの光を、本当に見たかのように、リアルに感じる子だった。

絵本を読んでくれる母のことばにはいつも糖蜜色の光があふれていたし、大好きだった幼稚園の先生が紙芝居を読んでくれるときも、部屋にはいつも光が弾んでいた。恐ろしいやまんばの話でも、悲しい死の伴う話にも、母や先生が見せてくれる温かな光は失われなかった。

意味とは別に存在する、ことばの力。ことば力の持ち主に育てられた私は、とても幸運な子どもだったのだと思う。

その謎を知りたいと思い、物理学教室の一員になったのは、三十年近く前のことだった。

私が幼い頃から感じていたことばの力を解明する学問は文学部には見つけられず、「最もつぶしが利《き》きそう」と感じた物理学科へ進んだのだった。宇宙のすべてを知ったら、その宇宙の中にいる、私たち人間の真実を知ることができる、と信じたのである。

その日から始まった、思考の旅は、長い紆余曲折《うよきよくせつ》の道のりだった。なにせ一度、宇宙の果てまで行ってしまったのだもの。

次に人工知能、すなわち機械と人間の臨界点の研究をし、感性工学から人間科学に移り、脳科学を通り、言語学を経て、結局、もっとも身近な恋愛論にたどりついた。

二〇〇三年、春。廣済堂出版の川崎優子さんが、私に、ピュグマリオン伝説と鏡、というモチーフを与えてくださったとき、私はあっと、声を上げてしまった。自尊心と気品、そして官能の最終魔法までの、女が美しいということの真実が、私の中にすとんと落ちてきたのである。

女の美しさは、形状や所作（身体）とも、教養や思いやりや正しい習慣（心）ともちがう、魂ともいうべき場所にあったのである。

それは、私たちの脳が、単体ではけっして機能しないことの美しい証明でもあった。美は、関係性の中に存在する。蜃気楼《しんきろう》のように浮かんでは消える、優しい幻なのである。

そう、人生は、優しい幻の綾織りでできている。そして、脳科学の帰結をもってすれば、九十歳の老婆でも、大切なひとに優しい幻を見せてあげられるのである。「関係性の美」を知って、男のおバカさんぶりをまるごと受け入れる、成熟した女の魂に怖いものはないだ。

すなわち、「美人」とは、関係性の美学を知っているひと。それさえわかれば、簡単なコツで、永遠の美女になれる。美容やキャリアやお金に、きりきり舞いすることもない。

その美人の魔法を、『ヴィーナスの鏡を知っていますか』という単行本に著して三年目の今年。かねてからこの本を愛読してくださっていた講談社の新見あずささんが、文庫に、とおっしゃってくださった。佇《たたず》まいの美しい講談社+α文庫の仲間に加えていただくなんて、本当に嬉しい。

この三年の間に、私の大好きなひとと私は、脳の更年期に突入した。二人とも、もう少しで五十歳に手が届く年齢である。本に書いたエピソードは何年も前のことだから、改めて原稿を読むと、なんとも感慨深い。

昔に較《くら》べて、彼はとても素直になったし、私も穏やかになった。ことばなど、もうとっくに要らなくて、今は、ふたりっきりになるだけで自然にまったりできる。まぁ、けんかのふりくらいはするけどね。

でも、なんだか、ごっこ遊びみたいで、途中で吹き出してしまう。彼の「爽《さわ》やかさの魔法」に泣いた日があったなんて、昔観た映画のエピソードだっけ？　と思うくらい遠い思い出である（彼に、ブルージーンズが似合う爽やかな日があったなんて、今となっては想像もできないし）。

彼は、文庫化の話に、いまさら？　と、穏やかに笑った。

でもね、今日もどこかで、三十代の若いオトナたちは、きっと、私が泣きながら歩いた道、彼が苦々しい思いをしながら歩いた道を歩いているんだろう。脳とは、そういうものだから。

脳には年齢を重ねなければたどり着けない場所がある。私たちが五十近くなって、「こんなばかばかしい尖《とが》った関係だったんだね」と納得しあって、こんな本要《い》るのかしら？　と感じたって、それはそれ。この本でほっとする、努力家のカワイイ女たちが、いつの時代も必ずいるのにちがいないと私は信じる。一生懸命で可愛くて、賢くて責任感もあって、ときに凛々《りり》しくて。そんなステキな女性ほど、割を食っている世の中だからね。

この本は、ささやかなキャンディみたいな本だけど、私の三十年近い研究成果が詰まっている。きっと、はっとする何かを見つけてもらえると思う。そうして、ふんわりほどけてくれたら、あなた自身の真の美女道の始まりである。

私自身は、こうして人生後半のまったりした場所に落ち着いてしまった今だからこそ、この本のほんとうの意義もわかってきた。書いたときは、ただただ必死だったのだけど。

この本を最初に世の中に誕生させてくださった、廣済堂出版の川崎優子さんに改めて感謝します。美しい文庫本にしてくださった講談社の新見あずささんにも、心からありがとうと伝えたい。より多くの女性がこの本でほどけてくれたら、私も研究を重ねてきたかいがあります。

女をひとり、真に幸福にできたら、学問にとっては至上の成果、至福の喜びである。学問なんて、それ以上ではないし、それ以下であってはいけない。

というわけで、この本を読んでくださったあなたに訪れる幸福が、私の祈り。

最後まで読んでくださって、ほんとうにありがとう。

二〇〇六年七月七日、織姫と彦星の逢瀬の晩に

黒川伊保子

本作品は二〇〇三年六月、廣済堂出版より刊行された『ヴィーナスの鏡を知っていますか』を文庫収録にあたり改題し、加筆、改筆したものです。

黒川伊保子―1959年、長野県に生まれる。奈良女子大学理学部物理学科を卒業後、コンピュータメーカーにてＡＩ（人工知能）研究に携わりロボットの対話機能を開発。脳科学の立場から世界初の語感分析法を開発、ことばの情緒力をビジネスに活かすコンサルタントとして活躍。独自の脳の研究から生まれた、男女脳のちがいを紐解く著作で人気を博し、日本テレビ「世界一受けたい授業」やＮＨＫ教育テレビ「日本語なるほど塾」、ＴＢＳ「王様のブランチ」など、テレビやラジオにも多数出演している。
著書には『LOVE brain』（PHPエディターズ・グループ）、『恋するコンピュータ』『感じることば』（以上、筑摩書房）、『怪獣の名はなぜガギグゲゴなのか』（新潮新書）、『王子様に出会える「シンデレラ脳」の育て方』（講談社＋α文庫）などがある。
●黒川伊保子オフィシャルサイト
http://ihoko.com/

講談社＋α文庫「愛《あい》され脳《のう》」になれる魔法《まほう》のレッスン

黒川《くろかわ》伊《い》保《ほ》子《こ》 ©Ihoko Kurokawa 2006

2006年８月20日第１刷発行
2014年９月１日第９刷発行

発行者――鈴木 哲
発行所――株式会社 講談社
東京都文京区音羽2-12-21 〒112-8001
電話 出版部(03)5395-3529
販売部(03)5395-5817
業務部(03)5395-3615

装画――マツモトヨーコ
デザイン――鈴木成一デザイン室
カバー印刷――凸版印刷株式会社
本文データ制作―講談社デジタル製作部
印刷――慶昌堂印刷株式会社
製本――株式会社国宝社

落丁本・乱丁本は購入書店名を明記のうえ、小社業務部あてにお送りください。
送料は小社負担にてお取り替えします。
なお、この本の内容についてのお問い合わせは
生活文化第二出版部あてにお願いいたします。
Printed in Japan ISBN4-06-281034-4
定価はカバーに表示してあります。